DZIENNIK CWANIACZKA

TRZECI DO PARY

W SERII:

Dziennik cwaniaczka • Rodrick rządzi • Szczyt wszystkiego • Ubaw po pachy • Przykra prawda Biała gorączka • Trzeci do pary • Zezowate szczęście • Droga przez mękę • Stara bieda Ryzyk-fizyk • No to lecimy • Jak po lodzie Totalna demolka • Zupełne dno • Krótka piłka Więcej czadu • Dziennik cwaniaczka. Zrób to sam!

PRZECZYTAJ TAKŻE:

Dziennik Rowleya. Zapiski chłopca o złotym sercu

Teraz Rowley. Ahoj, przygodo!

Rowley przedstawia. Strasznie straszne opowieści

DZIENNIK CWANIACZKA

TRZECI DO PARY

Jeff Kinney

Tłumaczenie
Joanna Wajs

Nasza Księgarnia

Tytuł oryginału angielskiego: *Diary of a Wimpy Kid: Third Wheel*

First published in the English language in 2012 by Amulet Books,
an imprint of ABRAMS.

Original English title: *Diary of a Wimpy Kid: The Third Wheel*

Book design by Jeff Kinney
Cover design by Chad W. Beckerman and Jeff Kinney

Fragment *Olivera Twista* Charlesa Dickensa w przekładzie Katarzyny Surówki.

DLA BABCI

STYCZEŃ

Niedziela

Żałuję, że nie zacząłem prowadzić dziennika dużo wcześniej, bo w przyszłości biografowie na pewno będą się zastanawiali, jak wyglądało moje życie, zanim poszedłem do gimnazjum.

Ale ja na szczęście pamiętam dosłownie wszystko, co mi się przydarzyło od przyjścia na świat. A prawdę mówiąc, przypominam sobie nawet rzeczy SPRZED mojego urodzenia.

W tamtych czasach pływałem w kółko w całkowitej ciemności, fikałem koziołki i spałem, ile wlezie.

A potem, pewnego dnia, w środku błogiej drzemki, nagle obudziły mnie te dziwaczne dźwięki dochodzące z zewnątrz.

Wtedy nie miałem jeszcze pojęcia, o co chodzi, ale później odkryłem, że to była mama. Przykładała sobie do brzucha takie, wiecie, specjalne głośniczki.

Pewnie sądziła, że jeśli będzie mi regularnie puszczać muzykę poważną, wyda na świat nowego Mozarta.

W zestawie z głośnikami znajdował się także mikrofon, więc kiedy mama nie miała ochoty na klasyków, opowiadała, co u niej słychać.

Gdy tata wracał do domu, on TEŻ musiał relacjonować brzuchowi swój dzień.

Ale to nie wszystko. Mama co wieczór czytała mi na głos przez pół godziny przed zaśnięciem.

Cała bieda w tym, że mój grafik snu w ogóle się nie pokrywał z grafikiem snu mamy. No więc kiedy ona już drzemała, ja byłem zupełnie rozbudzony.

Szkoda, że nie uważałem wtedy trochę bardziej, bo w zeszłym tygodniu mieliśmy kartkówkę z książki, do której nie zdążyłem zajrzeć. I chociaż pamiętałem ją z życia płodowego, kompletnie nie potrafiłem przypomnieć sobie szczegółów.

Odnoszę wrażenie, że w tygodniu, w którym mama przerabiała ze mną Dickensa, byłem pochłonięty czymś innym.

A najdziwniejsze jest to, że ona WCALE nie potrzebowała mikrofonu.

Byłem w jej BRZUCHU, więc chcąc nie chcąc, słyszałem praktycznie każde wypowiadane przez nią słowo.

I w ogóle docierało do mnie dosłownie WSZYSTKO, co się działo na zewnątrz. Nawet CZUŁOŚCI moich własnych rodziców nie zostały mi oszczędzone.

Zawsze odczuwałem pewien dyskomfort, gdy ludzie wokół zachowywali się zbyt wylewnie, SZCZEGÓLNIE mama i tata. Próbowałem interweniować, ale oni nie czaili bazy.

Im usilniej się starałem, tym GORZEJ wyglądała moja sytuacja.

Po kilku miesiącach miałem dość tego domu wariatów - i właśnie dlatego zwiałem stamtąd na trzy tygodnie przed terminem. Ale kiedy poczułem zimne powietrze i zobaczyłem oślepiające światła sali porodowej, pożałowałem, że tak mi się spieszyło.

Byłem wtedy totalnie niewyspany i w naprawdę podłym nastroju. Domyślacie się już, dlaczego wszystkie noworodki wyglądają na zdjęciach, jakby były megawkurzone?

Do DZISIAJ nie nadrobiłem straconego wtedy snu, chociaż wierzcie mi, nie daję za wygraną.

Od urodzenia usiłuję odtworzyć te niezrównane doznania z czasów, gdy pływałem sobie w całkowitej ciemności.

Ale że mieszkam w jednym domu z czwórką innych ludzi, zawsze znajdzie się ktoś, kto popsuje mi całą frajdę.

Mojego starszego brata Rodricka poznałem po paru dniach od przyjścia na świat. Wcześniej sądziłem, że jestem jedynakiem, no i powiem wam, że przeżyłem na jego widok ogromne rozczarowanie.

Rodzice mieli wtedy bardzo małe mieszkanie, więc musiałem dzielić sypialnię z Rodrickiem. A ponieważ on nie zamierzał wynieść się z kojca, pierwsze miesiące życia spędziłem w górnej szufladzie szafki nocnej. Założę się, że to było nielegalne!

Wreszcie jednak tata wyniósł swoje klamoty z pomieszczenia, którego używał jako biura, i tak powstał pokój dziecinny. Mnie przypadł w udziale stary kojec Rodricka, a jemu – nowe łóżeczko.

Niemal WSZYSTKO, co dostawałem w tamtym czasie, pochodziło z drugiej ręki.

Cokolwiek do mnie trafiało, było albo maksymalnie złachane, albo obrzydliwie zaślinione.

Nawet mój SMOCZEK okazał się mocno przechodzony. Chociaż nie sądzę, żeby Rodrick zrezygnował z niego dobrowolnie (co może wyjaśniać, czemu nigdy mnie nie polubił).

Długo żyliśmy tylko w czwórkę, ale pewnego dnia mama powiedziała, że będzie mieć nowe dziecko. Na szczęście poinformowała mnie wystarczająco wcześnie, abym mógł się przygotować.

Kiedy mój młodszy brat, Manny, pojawił się w domu, wszyscy go zaraz uznali za niesamowitego słodziaka. Ale jest coś, czego nikt wam nie powie o niemowlętach: mają czarny strup na pępku w miejscu, gdzie odcięto im pępowinę.

Ten strup w końcu odpada, a pępek odtąd wygląda zupełnie zwyczajnie. Tylko że nikt nigdy NIE odnalazł strupa Manny'ego. A ja dostaję paranoi na samą myśl, że on jeszcze wypłynie w najmniej oczekiwanym momencie.

Kiedy ja byłem niemowlakiem, mama sadzała mnie na godzinę dziennie przed telewizorem, żebym sobie oglądał programy edukacyjne.

Nie wiem, czy rzeczywiście od nich zmądrzałem, ale przynajmniej byłem na tyle bystry, aby odkryć, jak przełączyć telewizor na coś, co NAPRAWDĘ miałem chęć oglądać.

Poza tym nauczyłem się wyjmować baterie z pilota, żeby dorośli nie mogli zmieniać mi kanałów.

Niestety: jako dziecko nie jest się jeszcze dość cwanym, aby dobrze ukryć baterie.

Myślę, że należało pozwolić mi więcej raczkować, bo w żłobku byłem pod tym względem OKROPNIE zapóźniony. Inne maluchy potrafiły siedzieć prosto i gramolić się po kanapie, podczas gdy ja nadal pracowałem nad podniesieniem głowy.

Pewnego dnia mama kupiła mi Chodzik Małego Odkrywcy, nówkę sztukę. Pierwszą rzecz, której nie dostałem po Rodricku.

Chodzik okazał się NIESAMOWITY. Miał mnóstwo różnych bajerów, nawet uchwyt na kubek.

Ale najlepsze było to, że teraz już zasuwałem, gdzie mi się podobało, i wcale nie musiałem SAM chodzić.

Kiedy siedziałem za kierownicą, wszyscy kumple ze żłobka mogli się schować!

Ale potem mama przeczytała w czasopiśmie dla rodziców, że chodziki to niedobry pomysł, bo przez nie dzieciom nie rozwijają się jakieś tam mięśnie. No więc zwróciła zabawkę do sklepu, a ja znalazłem się w punkcie wyjścia.

Zajęło to trochę, jednak w końcu zacząłem chodzić. I zanim się zorientowałem, nagle byłem już przedszkolakiem.

Miałem nadzieję, że zostanę prymusem ze względu na całą tę robotę, jaką mama odwaliła z muzyką klasyczną i programami edukacyjnymi, ale inne matki chyba też nie leniuchowały, bo przedszkole okazało się prawdziwym wyścigiem szczurów.

Spotkałem tam dzieciaki, które radziły już sobie z guzikami i suwakami, podczas gdy ja z trudem zdejmowałem rękawiczki bez pomocy dorosłego.

Niektóre przedszkolaki umiały się podpisywać, a jedno czy dwoje dzieci potrafiło liczyć do pięćdziesięciu.

Wiedziałem, że nie dotrzymam im kroku, więc postanowiłem spowolnić rozwój kolegów, siejąc wśród nich dezinformację.

Mój plan spełzł jednak na niczym. Pani przedszkolanka powiedziała mamie, że nie uczę się kształtów i kolorów jak inne dzieci. Na co mama odparła, że jestem mądrym chłopcem i że może przedszkole niewystarczająco stymuluje mnie INTELEKTUALNIE.

No więc poszedłem OD RAZU do zerówki. Ale ta decyzja była totalną katastrofą.

Dzieciaki w zerówce wydały mi się OLBRZYMAMI, a poza tym umiały robić najróżniejsze rzeczy, na przykład ciąć nożyczkami i kolorować obrazki.

Nim minęło pierwsze popołudnie, nauczycielka musiała zadzwonić do domu, żeby mnie zabrano.

I dlatego dzień później mama zaciągnęła mnie z powrotem do przedszkola i poprosiła panią o jeszcze jedną szansę. Cała nadzieja, że nie mam tego nigdzie w papierach, bo fakt, że wyleciałem z zerówki, mógłby w przyszłości zniszczyć mi karierę.

Poniedziałek

Jestem absolutnie pewny, że mama uznała mnie za swoją porażkę pedagogiczną, bo wobec Manny'ego przyjęła kompletnie inną taktykę.

Na przykład młody może oglądać w TV, co tylko chce. Wgapia się w ten swój program, „Purchle", dwadzieścia cztery godziny na dobę.

Parę razy próbowałem rzucić okiem na „Purchle", ale za nic nie mogłem zakumać, o co chodzi. Te stwory mają własny język, który potrafi pojąć chyba tylko trzylatek.

Kiedy Manny obejrzy swój program, wkurza się, że nikt z domowników go nie rozumie.

Ostatnio mama przeczytała w gazecie, że oglądanie „Purchli" o rok opóźnia rozwój mowy u dzieci i upośledza ich „zdolności socjalizacyjne".

Cóż, to wiele wyjaśnia. Manny nie ma żadnych prawdziwych przyjaciół, a kiedy mama zaprasza do domu inne maluchy, młody jako jedyny z nikim się nie bawi.

Po części może chodzić o to, że on nie lubi, jak ktoś dotyka jego rzeczy. Gdy mamy gości, smarkacz barykaduje się ze wszystkimi zabawkami w kojcu po Słodziku, psie, którego oddaliśmy babci.

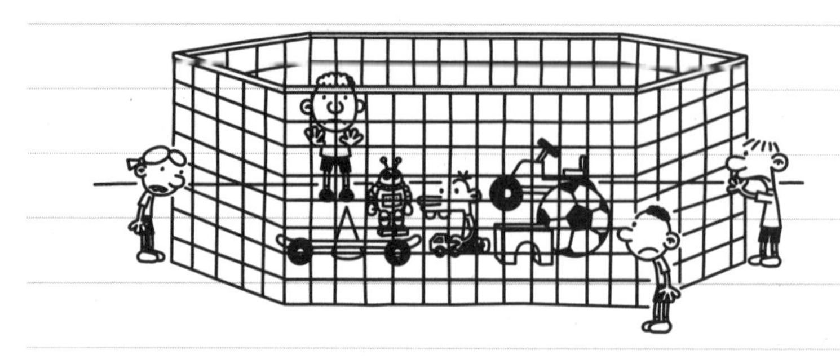

Kiedy jednak mama próbuje wciągnąć Manny'ego do wspólnej zabawy POZA domem, z tego też nic dobrego nie wynika.

W naszym kościele urządzono niedawno specjalny pokój, w którym podczas mszy bachory mogą bawić się i rysować. Ale gdy mama pierwszy raz zostawiła Manny'ego w tym miejscu, był tam tylko jeden dzieciak, no i powiedział młodemu, że jest wampirem.

Trochę Manny'emu współczułem, bo kiedy byłem w jego wieku, też znałem pewnego upiornego dzieciaka. Chodziłem do przedszkola z takim jednym kolesiem, Bradleyem, który ciągle mnie straszył.

Dzień w dzień skarżyłem się na niego mamie i powtarzałem, że nigdy więcej nie pójdę do przedszkola. Ale tamtego lata rodzice Bradleya sprzedali swój dom, no i problem sam się rozwiązał.

Po tym, jak Bradley się przeprowadził, mama napisała historyjkę pod tytułem „Brzydki Bradley": o chłopcu, który bez przerwy rozrabiał. Bradley był okropny w prawdziwym życiu, ale w wyobraźni mamy zmienił się w potwora.

Myślę, że mama chciała nawet zacząć szukać wydawcy, ale na wiosnę rodzice Bradleya ZNÓW zamieszkali w naszym sąsiedztwie i tak jej nadzieje na karierę literacką zostały pogrzebane.

Chociaż mama nigdy nie opublikowała opowieści o Brzydkim Bradleyu, czyta ją Manny'emu, żeby młody wiedział, jakie zasady obowiązują w przedszkolu. I sądzę, że to między innymi dlatego Manny tak się boi rówieśników.

Mój brat nie ma może kolegów w REALU, ale za to otacza go masa WYMYŚLONYCH. Straciłem już rachubę: pamiętam tylko Joeya, Peteya, Danny'ego, Charlesa Tribble'a, Charlesa Tribble'a II, Tyciego Jima i Johnny'ego Cheddara.

Nie wiem, jak Manny zdobył tych wszystkich nieprawdziwych przyjaciół, ale wierzcie mi, dla niego oni są PRAWDZIWI. Pewnego razu smarkacz zabrał swoich wyimaginowanych kumpli do spożywczaka i wpadł w totalną histerię, kiedy mama jakoby zgubiła Charlesa Tribble'a w dziale z mrożonkami.

Czasem zadaję sobie pytanie, czy nie chodzi tu wyłącznie o różne wymierne korzyści, na przykład o dodatkowe porcje deseru.

Według mamy, jeśli powiemy Manny'emu, że jego tak zwani przyjaciele nie istnieją, młody „przeżyje traumę". Czyli musimy robić dobrą minę do złej gry.

Mam tylko nadzieję, że dzieciak wyrośnie z tego szybko, bo sytuacja zaczyna się robić żenująca. Czasem muszę czekać, przestępując z nogi na nogę, aż ci wszyscy fikcyjni kolesie skończą korzystać z toalety.

Ostatnio Manny, gdy tylko coś zmaluje, zrzuca winę na swoją ferajnę. Kiedy zdarzyło mu się potłuc talerz, powiedział mamie, że to był Johnny Cheddar, który wydaje się największym rozrabiaką w tym gangu.

Zamiast ukarać Manny'ego za stłuczenie talerza i zmyślanie, mama posłała do kąta Johnny'ego Cheddara. Obecnie do odbywania tej kary nie służy jednak u nas w domu żaden prawdziwy kąt, tylko rozkładany fotel z podnóżkiem, absolutna nówka, no więc przez młodego musiałem zrezygnować z oglądania telewizji.

Jak powiedziałem, cała ta historia to jedna wielka bzdura. Jednak Manny traktuje ją śmiertelnie poważnie: aż ciary chodzą po plecach. Więc zanim gdziekolwiek siądę, najpierw się upewniam, czy w pobliżu nie ma żadnego z kumpli mojego brata.

Ostatnia rzecz, jakiej potrzebuję, to klapnięcie na kanapę przed telewizorem i zmiażdżenie Tyciego Jima.

To jednak nie znaczy, że w ogóle mam czas na telewizję. Mama okropnie się gryzie nieprzystosowaniem Manny'ego i nie chce, aby włączać przy nim TV.

Niedawno wpadła na pomysł „rodzinnych wieczorów". Co oznacza, że zamiast oglądać telewizję, gramy w jakąś planszówkę albo jemy kolację w restauracji.

Chyba chodzi o to, żeby było między nami więcej „interakcji" i żeby młody brał przykład ze starszych.

Kiedy wyskakujemy coś przekąsić, zwykle lądujemy w Barze Rodzinnym Kupa Śmiechu. Mają tam pewną zasadę: nie wpuszczają facetów w krawatach. No więc gdy weszliśmy po raz pierwszy do Kupy Śmiechu, tata nie był zachwycony.

W Kupie Śmiechu jest kilka różnych sektorów dla gości, ale z powodu Manny'ego zawsze sadzają nas w tak zwanej Alejce Dziecięcej.

Szczerze mówiąc, nie wiem, czy personel w ogóle zawraca sobie głowę sprzątaniem tego miejsca. Na podłodze zawsze są pomięte serwetki, a na ławkach nadgryzione frytki.

Pierwszego wieczoru nie sprawdziłem, na czym siadam, no i przykleiłem się do kanapki z masłem orzechowym i dżemem.

W Alejce Dziecięcej nie cierpię jeszcze tego, że zawsze siedzimy tuż obok WC. Drzwi do łazienki ciągle się otwierają, więc człowiek jest skazany na oglądanie pisuarów.

Poza tym mają tam BEZNADZIEJNYCH kelnerów. Samemu trzeba się fatygować do bufetu. A potrawy w metalowych kuwetach są totalnie ze sobą wymieszane.

Przy ladzie z deserami stoi samoobsługowy automat do lodów. Wiem, to brzmi ekscytująco, ale wierzcie mi: istnieje dobry powód, dla którego większość restauracji nie pozwala klientom na zabawę takimi maszynkami.

Mama lubi tu przychodzić między innymi dlatego, że w Kupie Śmiechu mają kąpiel piłeczkową, a ona nadal nie traci nadziei, że Manny nawiąże jakieś znajomości.

Ale on na ogół zakopuje się po prostu w piłeczkach, żeby dzieci go nie znalazły, i czeka, aż będziemy wracać do domu.

W zeszły czwartek też poszliśmy do Kupy Śmiechu i mama dosłownie wepchnęła młodego do jednej z tych plastikowych rur, żeby nie zdążył się schować. Ale Manny wpadł w totalną panikę: był zbyt przerażony, aby samemu dostać się na dół.

No i wtedy mama kazała mi zasuwać na górę i ratować brata, bo jako jedyny w rodzinie mieszczę się w takiej rurze.

Próbowałem wleźć do środka tak, jak zrobił to Manny, ale ugrzązłem i musiałem się stamtąd wygramolić.

Co oznaczało, że została mi tylko jedna możliwość: wspiąć się tunelem krętej plastikowej zjeżdżalni, która wpada do kąpieli piłeczkowej. Niespecjalnie miałem na to ochotę, bo nie jestem fanem zamkniętych przestrzeni, w dodatku nieoświetlonych.

Wrzasnąłem w głąb tuby, aby się upewnić, że teren jest czysty, ale dzieciaki totalnie olały ostrzeżenie i dalej zjeżdżały w najlepsze.

Kiedy wreszcie dotarłem na górę, zacząłem pełznąć przez labirynt rur w poszukiwaniu Manny'ego. Nie było tam żadnej wentylacji i STRASZLIWIE jechało brudnymi skarpetami.

Wtedy jednak zdałem sobie sprawę, że nie jestem odpowiednią osobą do takiej misji, bo przecież zawsze się gubię w labiryntach. Jesienią ja i mama chcieliśmy zobaczyć kukurydziany labirynt na Farmie Reynoldsa, no i ona myślała, że bez problemu znajdę wyjście.

Ale wpakowałem nas w taki kanał, że w końcu musiała zadzwonić pod 112.

Teraz jednak nie miałem przy sobie telefonu komórkowego mamy. A kiedy jakiś bachor puścił pawia na drugim końcu tunelu, cała reszta wystartowała w moim kierunku, żeby uciec od smrodu po zjeżdżalni.

Wreszcie namierzyłem smarkacza, ale wtedy byłem już naprawdę na granicy załamania nerwowego. No i wszystko skończyło się tak, że młodego i MNIE musiał uratować jeden z kelnerów.

A najgorsze jest to, że zmarnowałem najlepsze dżinsy. Nie dało się z nich wywabić odoru spoconych stóp, mimo że trzy razy prałem je w odplamiaczu.

Sobota

Rano obudziłem się o szóstej trzydzieści i nie mogłem już zasnąć, co było megadołujące. Ta historia przytrafia mi się w kółko od stycznia.

W sylwestra mama stwierdziła, że Manny powinien świętować razem z nami, jednocześnie nie zarywając nocy. I wymyśliła, jak to zrobić: przestawiła wszystkie zegary o trzy godziny do przodu.

Zapomniała jednak powiadomić o tym planie MNIE, więc kiedy rodzice zaczęli odliczanie razem z Mannym, ja byłem przekonany, że NAPRAWDĘ jest północ.

W efekcie poszedłem spać o dziesiątej trzydzieści, myśląc, że w rzeczywistości jest pierwsza trzydzieści. I tak cały mój grafik snu przesunął się o trzy godziny.

W weekendy zazwyczaj nie wstaję, dopóki tata nie wywlecze mnie z łóżka. ZWŁASZCZA zimą, kiedy na dworze jest ziąb, a pod kołdrą ciepełko.

Poprzedniej zimy tata obudził mnie w jakąś sobotę o ósmej i oświadczył, że trzeba odśnieżyć chodnik.

Miałem wtedy wyjątkowo fajny sen, ale zdołałem wygramolić się z łóżka, odśnieżyć chodnik i gładko wrócić do snu tam, gdzie mi go przerwano.

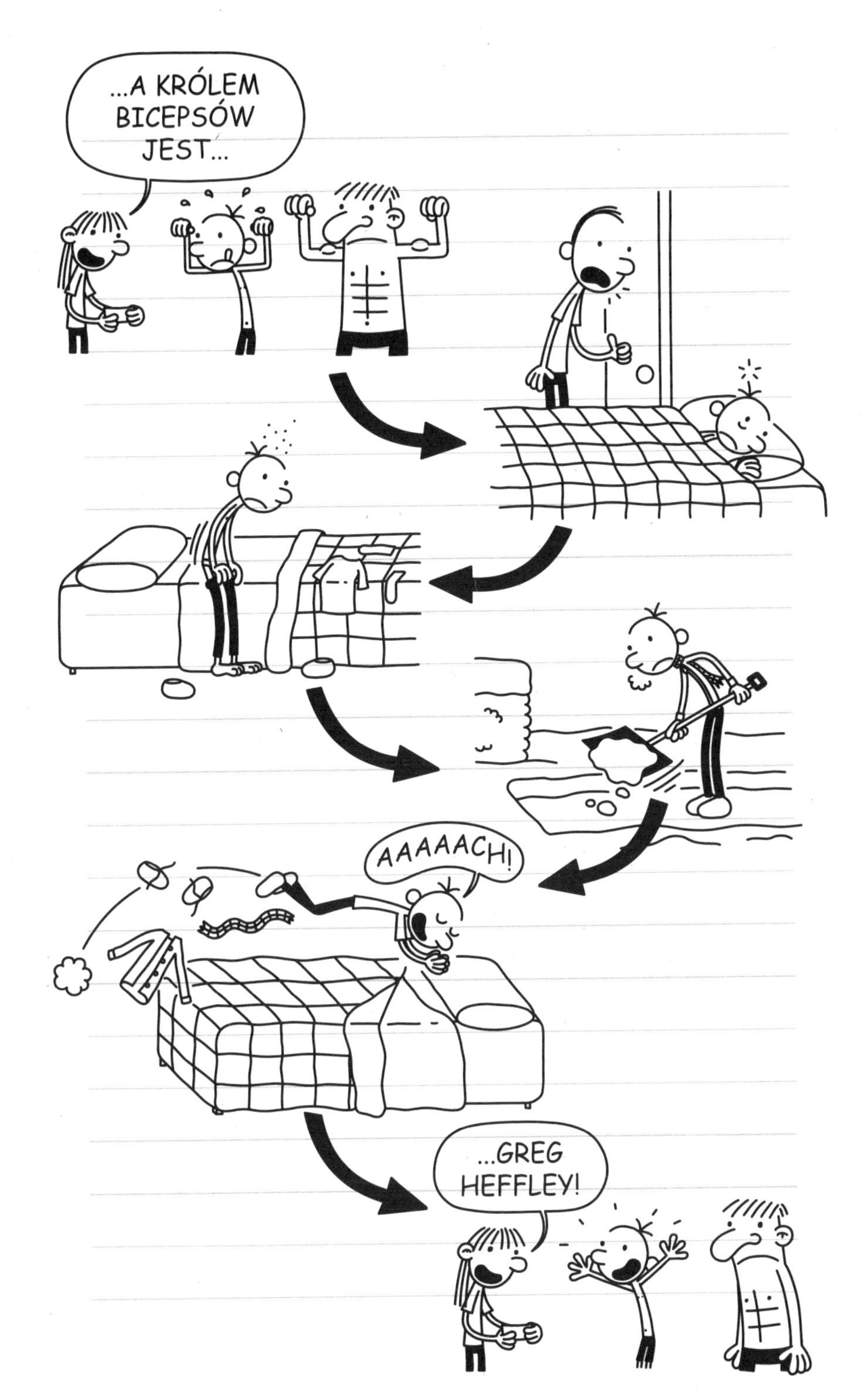
...A KRÓLEM BICEPSÓW JEST...
AAAAACH!
...GREG HEFFLEY!

Tego ranka po przebudzeniu próbowałem jeszcze zasnąć, ale wreszcie zwlokłem się na dół i zrobiłem sobie śniadanie. W sobotę w TV nie ma nic znośnego przed ósmą, więc postanowiłem zakasać rękawy i wziąć się do prac domowych.

Ja i Rodrick zwykle jesteśmy spłukani, więc mama odpala nam trochę kaski za sprzątanie. Do moich obowiązków należy między innymi odkurzanie mebli w jadalni i tym właśnie się zajmowałem, kiedy usłyszałem pukanie do drzwi wejściowych.

Gdy otworzyłem, stwierdziłem ze zdziwieniem, że na progu stoi wujek Gary.

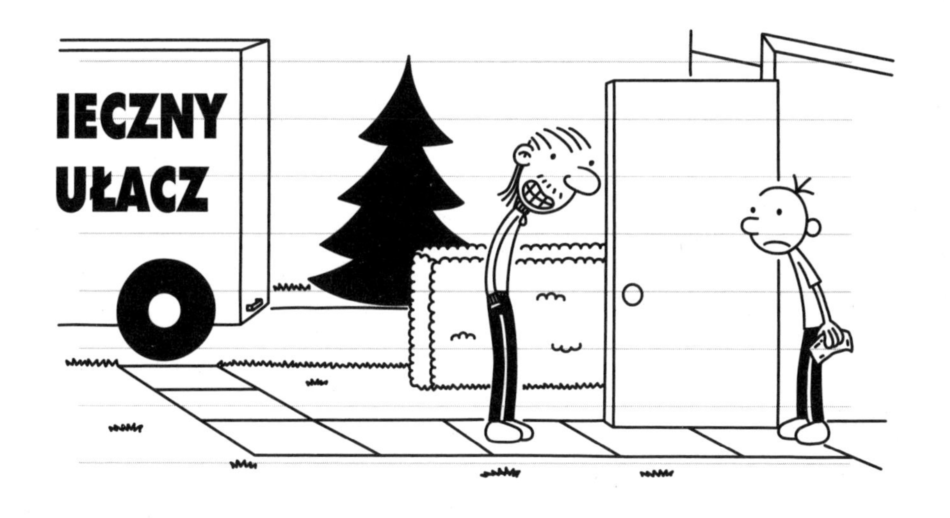

Tata zjawił się na dole minutę później. Nie wyglądał na uszczęśliwionego widokiem młodszego brata.

Kilka tygodni wcześniej wujek Gary do niego zadzwonił. Powiedział, że kroi mu się „interes życia" i że potrzebuje pożyczki.

Tata nie bardzo chciał w to wejść, bo wujek Gary nie cieszy się najlepszą opinią jako pożyczkobiorca.

Ale mama powiedziała, że w końcu wujek Gary jest jego bratem, a rodzina musi sobie pomagać. Co zresztą zawsze powtarza mnie i Rodrickowi. Mam tylko nadzieję, że nigdy nie będę potrzebował nerki czy czegoś w tym stylu, bo gdybym liczył na Rodricka, marnie bym skończył.

Tak czy inaczej, tata wysłał wujkowi pieniądze i nic więcej nie wiedzieliśmy aż do dzisiaj. Dopiero kiedy wujek Gary wszedł do środka, wyjaśnił, co się zdarzyło.

Poznał w Bostonie jednego gościa, który sprzedawał T-shirty na ulicy. Facet powiedział, że może tanio opylić mu swój biznes i że wujek zarobi kupę szmalu.

No więc za kasiorę taty wujek Gary kupił T-shirty od kolesia z ulicy. Ale nie wiedział jednego. Że na koszulkach jest literówka. A kiedy zorientował się w temacie, koleś już dawno odpłynął w siną dal.

Wujek oświadczył, że potrzebuje miejsca, w którym mógłby się zaczepić, zanim stanie na nogi. Tata nie wydawał się zadowolony, ale tymczasem na dole pojawiła się mama, a ona oznajmiła, że naturalnie, wujek może zostać tak długo, jak chce.

Chociaż gdy zobaczyła furgonetkę na podjeździe, dodała szybko, że nie mamy żadnego wolnego pokoju, w którym mogłyby stanąć jego meble.

Nie musiała się jednak obawiać, bo on nie przywiózł ŻADNYCH mebli. Furgonetka była wypchana po brzegi kartonami pełnymi T-shirtów. No więc resztę ranka spędziliśmy na bieganiu z nimi do garażu i z powrotem.

Wujek Gary niełatwo się poddaje. Za trzy dolce opchnął jedną koszulkę Rodrickowi, a mój starszy brat chyba uważa, że trafił superokazję.

Poniedziałek

Życie pod jednym dachem z wujkiem Garym to nie bułka z masłem. Przez pierwsze noce nasz gość spał na dmuchanym materacu w pokoju Manny'ego, ale zaraz się okazało, że ma koszmary. A ten zły sen, który go męczył w zeszły poniedziałek, był wyjątkowo niefajny.

Dlatego teraz wujek Gary śpi na kanapie w dużym pokoju, a łóżko Manny'ego musieliśmy odsunąć od wszystkich ścian.

Naprawdę nie jest za wygodnie z wujkiem Garym na naszej kanapie. Przez te koszmary w nocy nie może zmrużyć oka, więc potem przesypia prawie cały dzień. To trochę denerwujące, kiedy człowiek potrzebuje się zrelaksować po szkole i pooglądać telewizję.

Ale obecność wujka Gary'ego najboleśniej odczuł RODRICK.

Wcześniej mój brat praktycznie MIESZKAŁ na kanapie w dużym pokoju, szczególnie w weekendy.

Teraz Rodrick nie ma gdzie się podziać, kiedy w sobotę rano tata wykopuje go z wyrka w piwnicy.

Raz się zdarzyło, że Rodrick przyszedł na górę, a kiedy zobaczył wujka okupującego jego miejscówkę, po prostu położył się i usnął na oparciu kanapy.

Tata ciągle wierci wujkowi dziurę w brzuchu, żeby szukał pracy, ale on twierdzi, że poruszył niebo i ziemię i że trudno teraz o posadę.

Zresztą wujek Gary nigdy nie zdołał się utrzymać na żadnym stanowisku dłużej niż parę dni. Latem miał pracować dla firmy produkującej gaz pieprzowy, która zamierzała testować na nim swój produkt. I coś mi się wydaje, że zrezygnował z tej roboty jeszcze przed lunchem.

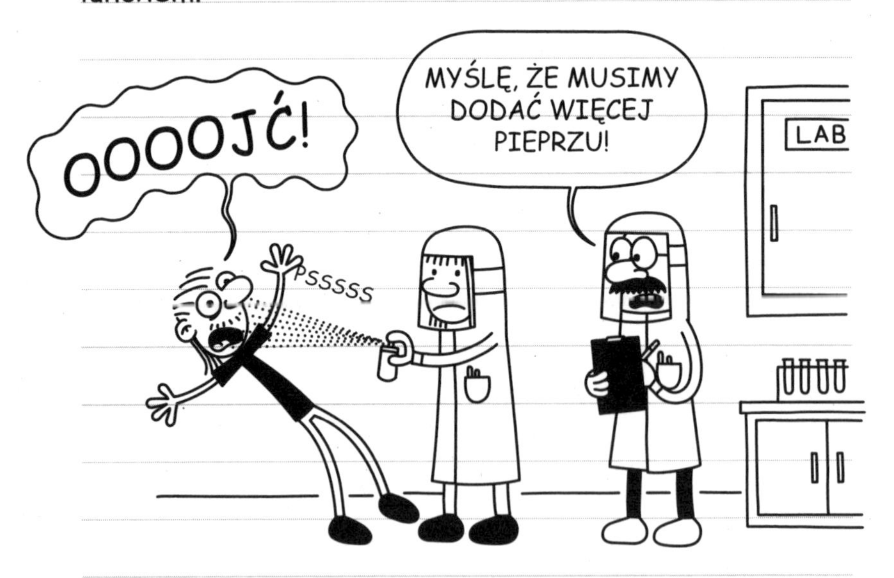

Tata chce, żeby wujek znalazł sobie pracę podobną do JEGO pracy, czyli w biurze. Taką, do której się chodzi na konkretną godzinę.

Ja jednak myślę, że wujek Gary jest z zupełnie innej bajki. Tak samo chyba zresztą jak ja. Tata dzień w dzień musi nosić koszulę, krawat, eleganckie buty, a nawet skarpetki pod kolor garnituru.

Już zdecydowałem, że kiedy dorosnę, będę miał pracę, w której mężczyźnie nie każą latać w podkolanówkach.

W wakacje tata zabrał mnie do biura na Dzień Otwarty dla Naszych Milusińskich. Ale on i jego koledzy najwyraźniej uznali, że ich normalne zajęcia będą dla dzieciaków nudne do bólu, bo zrobili wszystko, żeby nas rozerwać.

Większość czasu spędziliśmy w kawiarence, podczas gdy dorośli zasuwali w swoich pokojach.

Pod koniec dnia tata wziął mnie do biura, gdzie próbował dokończyć jakiś ważny projekt, a ja siedziałem obok niego i czekałem. Ale chyba ciężko mu się było skupić, kiedy ciągle zaglądałem mu przez ramię.

W końcu dał mi trochę drobnych, żebym coś sobie kupił w automacie. Najwyraźniej chciał się mnie pozbyć na dłużej i nie miał wesołej miny, kiedy minutę później byłem z powrotem z pudełkiem landrynek.

Oświadczył wtedy, że naprawdę musi dokończyć projekt, i poprosił, żebym na jakiś czas zszedł mu z oczu. Jednak tamtego dnia musiał być wyjątkowo roztargniony, bo kiedy uporał się ze swoim zadaniem, poszedł do domu, zostawiając mnie w biurze. Siedziałbym tam pewnie do rana, gdyby nie nocny stróż.

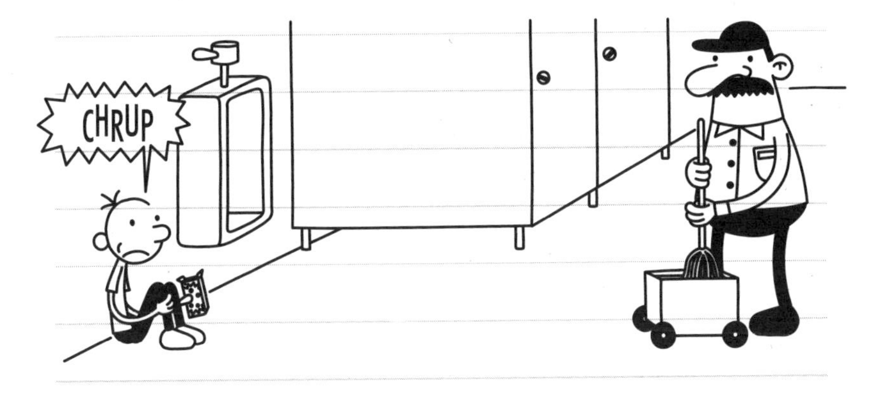

Tak czy siak, tatę denerwuje to, że wujek Gary jest kompletnie spłukany i nadużywa jego gościnności. Mama w końcu zaczęła dawać wujkowi kieszonkowe, chociaż on nie ma na głowie żadnych obowiązków domowych, a to straszna niesprawiedliwość.

W każdym razie chciałbym, żeby wujek wydał część zaskórniaków na płyn do kąpieli, bo zużył całą butelkę już drugiego dnia po przyjeździe. A kąpiel w przezroczystej wodzie to już nie to samo.

Wtorek

Strasznie mi żal moich ulubionych dżinsów, bo dzisiaj była okazja, żeby zadać szyku. Na wuefie zaczynamy zajęcia z tańca towarzyskiego i pani Moretta kazała nam dobrać się w pary.

Powiem tak: to nie był dobry dzień na sztruksy za krótkie o jakieś siedem centymetrów.

Pani Moretta powiedziała, że mamy umieścić na karteczce imię i nazwisko osoby, z którą chcielibyśmy tańczyć. A potem ona zbierze wszystkie kartki i postara się spełnić nasze życzenia, o ile to będzie możliwe. Tego samego systemu użyła już w ZESZŁYM roku na zajęciach z tańca ludowego. No i skończyło się to dla mnie absolutną porażką.

Zapisałem wtedy na karteczce imię i nazwisko najładniejszej dziewczyny, z którą chodzę na wuef, Baylee Anthony.

Ale ona wybrała Bryce'a Andersona, podobnie zresztą jak wszystkie pozostałe laski. Bryce zdecydował się jednak na McKenzie Pollard i pani Moretta sparowała Baylee ze mną, bo jej imię było na mojej kartce.

Z początku niesamowicie się podjarałem, że zostanę partnerem Baylee. Ale wkrótce się okazało, że przez całe trzy tygodnie będę musiał znosić coś TAKIEGO:

Baylee chyba się boi powtórki z ubiegłego roku, bo dzisiaj obeszła wszystkich chłopaków, którzy nie mają u niej szans, i postawiła sprawę jasno:

Szczerze? Jest mi obojętne, z kim zatańczę, byle nie była to Ruby Bird.

RUBY BIRD

O ile wiem, Ruby to jedyna dziewczyna w naszej szkole, która została zawieszona w prawach ucznia. Doigrała się tym, że ugryzła nauczyciela.

A powód, dla którego ma tylko jedną górną jedynkę, jest taki, że druga została w łokciu pana Underwooda.

Staram się być bardzo miły dla Ruby, gdy spotykam ją na korytarzu, bo ona naprawdę mnie przeraża.

Ale dzisiaj zacząłem się martwić, że może jestem ZBYT miły i że jeszcze Ruby pomyśli, że ją LUBIĘ. Bardzo bym sobie nie życzył, aby ta dziewczyna zwróciła na mnie uwagę, bo gdybyśmy wylądowali razem w parze, na pewno CZYMŚ bym ją wkurzył i jej druga górna jedynka zagłębiłaby się w MOJEJ ręce.

No więc zrobiłem, co mogłem, by to się nie zdarzyło.

Błagam, tylko nie Ruby Bird.

Z poważaniem,
Greg Heffley

Potem, chcąc mieć pewność, że pani Moretta mnie nie zawiedzie, dołączyłem do karteczki nadjedzony batonik czekoladowy, chociaż zamierzałem zostawić go sobie na później.

Środa

Wczoraj wieczorem gorąco modliłem się o to, aby nie musieć tańczyć z Ruby.

Potem jednak nabrałem podejrzeń, że być może tylko określona liczba modlitw w naszym życiu zostaje wysłuchana, a ja zbyt szybko wypstrykuję swój limit. Naprawdę nie chciałbym kiedyś odkryć, że zmarnowałem wszystkie szanse, bo sądziłem, że mam nieograniczony kredyt.

Pewnie muszę po prostu bardziej uważać. W ten weekend, kiedy zapchał się kibelek w łazience na piętrze, zawracałem Panu Bogu głowę tym, żeby hydraulik nie skorzystał z ubikacji po jej naprawieniu.

Ogólnie rzecz biorąc, mam 75% skuteczności w modlitwach. Nie wiem, czy to dobry wynik, ale jednego jestem pewien: choćbym stanął na rzęsach, nigdy nie dostanę na urodziny miecza świetlnego.

W każdym razie w przyszłości będę wyrażać się bardziej precyzyjnie, kiedy o coś proszę, bo choć moje życzenie dzisiaj się spełniło, nie jestem zadowolony z obrotu spraw.

Na początku zajęć pani Moretta zaczęła łączyć nas w pary, a ja wstrzymałem oddech, kiedy doszła do Ruby Bird.

Ale Ruby dostała się Fregleyowi i jeśli chcecie znać moje zdanie, ze świecą szukać lepiej dobranej pary.

W końcu pani Moretta wyczytała imię i nazwisko ostatniej dziewczyny, a na sali nadal były chłopaki bez przydziału, między innymi ja. W moim roczniku lasek jest mniej niż facetów, więc nic dziwnego, że nie każdy ma partnerkę.

Chociaż i tak byłem nieco rozczarowany, że nikt nie napisał mojego nazwiska na karteczce.

I wtedy do nas, chłopaków, dotarło, że nie będziemy musieli tańczyć i że przez trzy tygodnie możemy kopać piłę na drugiej połowie sali gimnastycznej.

Jednak nasza radość była przedwczesna. Pani Moretta obwieściła, że dla NIKOGO nie ma taryfy ulgowej, i zaczęła parować CHŁOPAKÓW Z CHŁOPAKAMI. Zanim się obejrzałem, już tańczyłem walca z Carlosem Escalerą.

Poniedziałek

Dzisiaj odwołali nam wuef. Na czwartej lekcji cała szkoła miała się zebrać na sali gimnastycznej. Muszę przyznać, że trochę mnie to zirytowało, bo wierzcie lub nie, ale ja i Carlos naprawdę wymiatamy w merengue.

Jednak większość ludzi bardzo się podekscytowała i nic dziwnego. Podobnego wydarzenia nie było od listopada, kiedy naszą szkołę odwiedził hipnotyzer Zadziwiający Zenon.

Podczas swojego numeru popisowego Zadziwiający Zenon zahipnotyzował rząd trzynastolatków, którzy uwierzyli, że ktoś pozlepiał im ręce klejem szybkoschnącym.

Powiedział tym gostkom, że ich rozklei za pomocą magicznego słowa, i rzeczywiście: to zadziałało.

Po lekcjach wśród uczniów wybuchła kłótnia o to, czy hipnotyzer naprawdę miał moc, czy też tamte dzieciaki były z nim w zmowie.

Dwaj kolesie, którzy uważali, że Zadziwiający Zenon jest oszustem, wzięli się pod ręce, a Martin Ford próbował im wmówić, że zostali potraktowani klejem szybkoschnącym.

I wiecie co? Udało mu się. Tamci goście nie mogli uwolnić rąk i zaczęli świrować. Martin raz po raz wypowiadał magiczne słowo, ale bez skutku.

Dzieciaki wróciły do szkoły, a jeden z nauczycieli musiał odszukać Zadziwiającego Zenona w jego miejscu pracy, żeby zdjął czar z uczniów.

Naprawdę nie rozumiem, czym się kieruje ciało pedagogiczne, zapraszając gości do naszej szkoły. W zeszłym roku sprowadzili takiego jednego faceta, Silnego Steve'a. Koleś wygłosił wykład o tym, że powinniśmy trzymać się z daleka od prochów, a gwoździem jego programu było przedarcie książki telefonicznej na pół gołymi rękami.

Nie pytajcie mnie, co podarcie książki telefonicznej ma wspólnego z narkotykami, ale dzieciaki oszalały na punkcie Silnego Steve'a. Po występie mocarza szkolna bibliotekarka musiała wymienić połowę encyklopedii i leksykonów.

Osobą, której stanowczo NIE chciałbym znowu oglądać, jest piosenkarka o imieniu Krisstina. Myślę, że szkoła lubi ją zapraszać, bo teksty piosenek Krisstiny są nieznośnie POZYTYWNE.

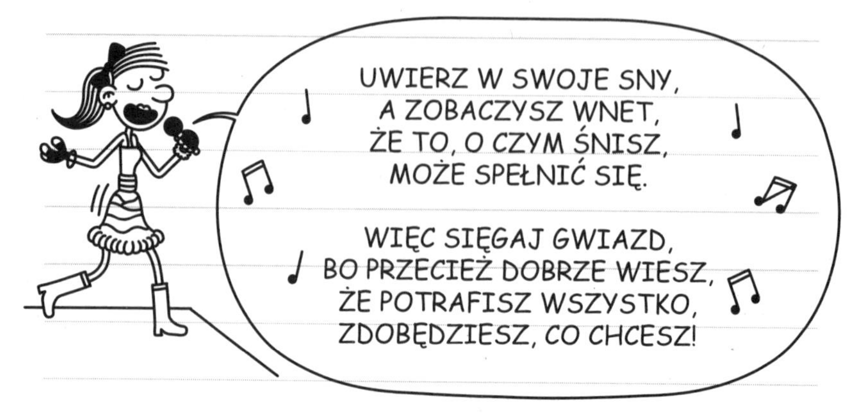

Krisstina przedstawia się jako „objawienie światowej sceny pop", ale mam co do tego poważne wątpliwości. O ile wiem, nigdy nie przekroczyła nawet granicy naszego STANU.

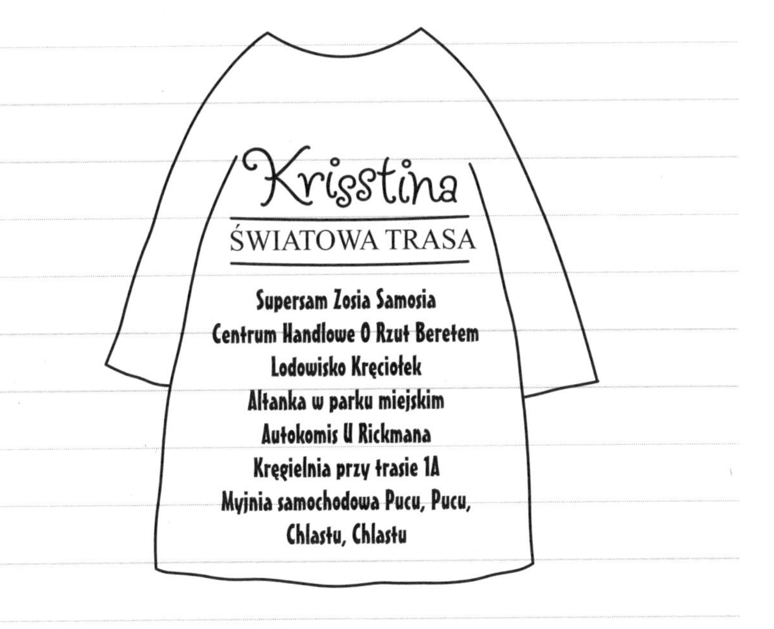

Jedną z moich ulubionych szkolnych pogadanek była ta, podczas której oficer policji opowiadał o byciu „tajniakiem". Taka praca polega na udawaniu ucznia i donoszeniu na chuliganów.

NIESAMOWITA fucha, co nie? Gdyby ktoś mi płacił za chodzenie do szkoły bez odrabiania pracy domowej czy pisania klasówek ORAZ za posyłanie różnych palantów do pudła, to byłaby kariera dla mnie!

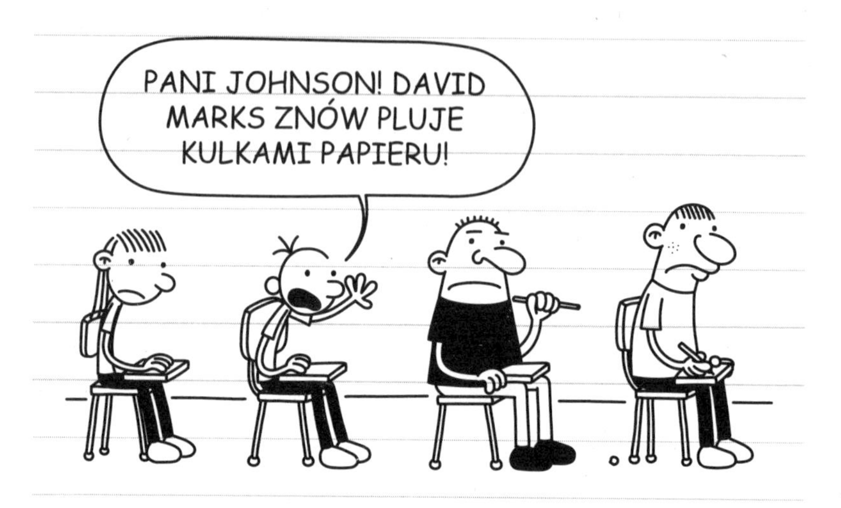

Po wizycie oficera policji ja i Rowley postanowiliśmy założyć prywatną agencję detektywistyczną.

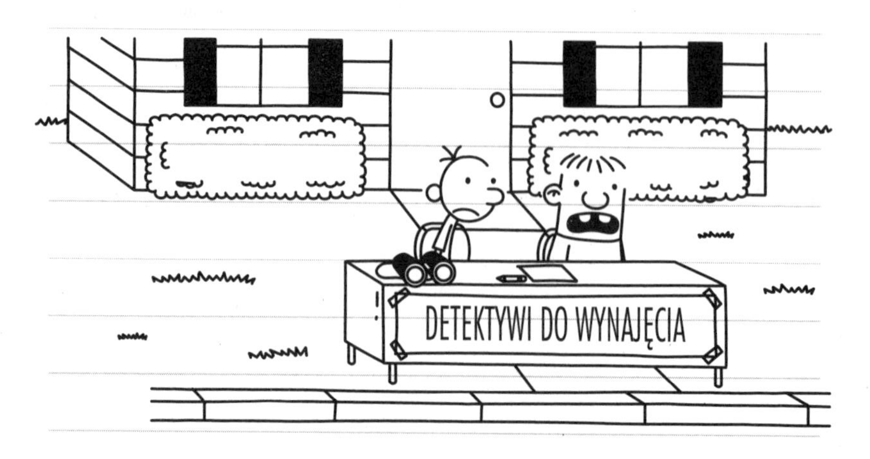

Niestety: w naszym sąsiedztwie nie było dużego zapotrzebowania na prywatnych detektywów i nikt nie chciał nas zatrudnić. Ale postanowiliśmy i tak zacząć śledzić ludzi - zupełnie ZA DARMO.

Mieliśmy naprawdę niezły ubaw. Najlepsze w byciu detektywem jest to, że możesz grzebać w cudzym życiu i nikt ci nic nie powie, bo na tym polega twoja praca.

Skupiliśmy się na śledzeniu pana Millisa, który mieszka niedaleko mnie. Nie żeby robił coś szczególnie podejrzanego. Po prostu ma superpakiet w kablówce – wszystkie możliwe kanały filmowe.

Nasza agencja jednak szybko się rozpadła po tym, jak zaczęliśmy szpiegować Scotty'ego Douglasa. Latem pożyczyłem Scotty'emu grę wideo, a on powiedział, że ją zgubił. Wiedziałem, że to nędzne kłamstwo, więc wysłałem Rowleya do Douglasów, aby odzyskał dług.

Pouczyłem Rowleya, co robić, żeby wyglądać na twardego faceta, i jak znacząco wyłamywać sobie kostki palców. Ten smarkacz Scotty musiał zrozumieć, że z nami nie ma żartów.

Ale kiedy Rowley coraz dłużej nie wracał, ogarnął mnie niepokój. No więc sam zakradłem się do domu Scotty'ego i przyłapałem partnera na gorącym uczynku: jak gdyby nigdy nic grał sobie w moją grę z podejrzanym.

Byłem zmuszony natychmiast zwolnić Rowleya, a jeśli kiedyś założę drugą agencję detektywistyczną, najpierw zatrudnię bardziej przekonującego egzekutora długów.

Tak czy inaczej, jak już wspominałem, wszyscy byli strasznie ciekawi, kogo tym razem zaprosiła do szkoły dyrekcja.

Ale zaraz się okazało, że w ogóle nie ma ŻADNEGO gościa. Kiedy tylko usiedliśmy, wicedyrektor Roy stanął na podwyższeniu i wyjaśnił, po co nas wezwał. Chodziło o zorganizowanie w trybie pilnym wyborów do samorządu uczniowskiego.

Na jesieni mieliśmy już wybory do samorządu. Ale nasi przedstawiciele olewali zebrania, bo odbywały się podczas dużej przerwy, no i nauczycielom chyba puściły nerwy.

Wicedyrektor Roy oświadczył, że są dwa warunki ubiegania się o urząd. Po pierwsze, trzeba się zobowiązać do przychodzenia na wszystkie zebrania samorządu. A po drugie, nie można mieć na koncie więcej niż dwóch odsiadek w kozie.

Miałem wrażenie, że mówi to z myślą o mnie, bo ja dopiero co zarobiłem trzecią odsiadkę.

Kiedy byłem w pierwszej klasie gimnazjum, jeden starszy uczeń powiedział mi, że istnieje tajna winda na drugie piętro i że może mi opylić specjalny bilet za pięć baksów.

To brzmiało jak dobry interes, więc dałem mu pięć dolarów za papier, który wyglądał bardzo oficjalnie.

BILET DO TAJNEJ WINDY

Posiadacz niniejszego dokumentu
ma prawo do nieograniczonej liczby
przejazdów gimnazjalną tajną windą.

Ale szybko odkryłem, że zostałem oszukany i że tajna winda to jedna wielka ściema.

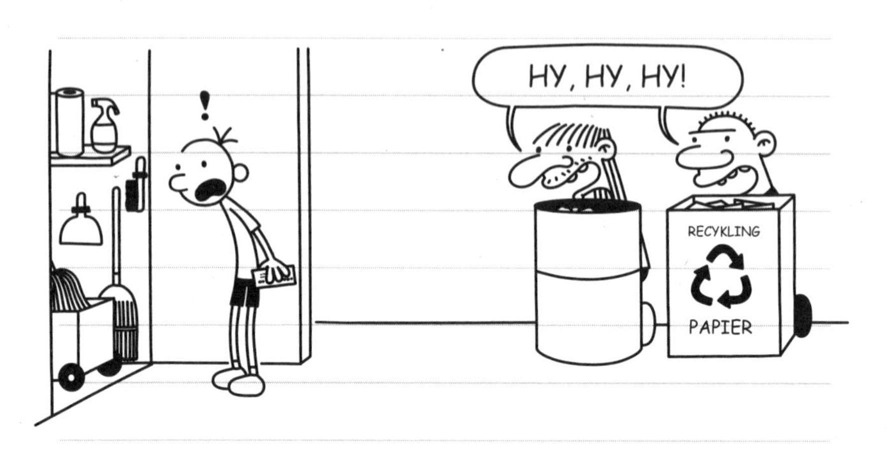

Trzymałem ten fałszywy bilet aż do niedawna. Dopiero kilka tygodni temu odsprzedałem go nowemu dzieciakowi.

No ale miałem pecha. Nie byłem wystarczająco ostrożny i zostałem przyłapany przez wicedyrektora Roya, który kazał mi zwrócić pieniądze nowemu.

A w dodatku musiałem zostać po lekcjach, co jest oburzającą niesprawiedliwością, bo policzyłem szczeniakowi zaledwie połowę ceny!

Po tym, jak już się wszyscy rozeszliśmy, coś sobie uświadomiłem: Rowley nigdy nie siedział w kozie, więc jest IDEALNYM kandydatem do samorządu. Powiedziałem mu, że powinien startować w wyborach, on jednak odparł, że gdyby nawet wygrał, nie wiedziałby, co ma robić.

I to była woda na mój młyn. Zapewniłem go, że jeśli zostanie wybrany, ja wezmę na siebie ciężar podejmowania trudnych decyzji. On będzie tylko chodzić na zebrania i stosować się do moich instrukcji. Uważam, że to GENIALNY pomysł, bo jako szara eminencja nie stresowałbym się żadnymi odsiadkami.

Zaproponowałem, że zostanę szefem jego kampanii, dzięki czemu nie będzie musiał kiwnąć nawet palcem. No więc podeszliśmy do tablicy ogłoszeń na korytarzu, żeby zgłosić kandydaturę Rowleya.

Zasugerowałem, że powinien obstawiać jedną z tych naprawdę ciepłych posadek, na przykład przewodniczącego albo wiceprzewodniczącego, ale on się uparł, że zostanie kierownikiem sekcji kulturalnej. Nie mam pojęcia, na czym polega ta funkcja, ale dopóki Rowley będzie uczestniczył w najważniejszych głosowaniach, jest mi to w zasadzie obojętne.

Środa

Wczoraj niektórzy kandydaci zaczęli wieszać plakaty na korytarzach i rozdawać przypinki oraz słodycze swojemu elektoratowi. No więc JUŻ mamy w plecy.

Wiedziałem, że muszę wpaść na jakiś niesamowity pomysł, aby zapewnić Rowleyowi zwycięstwo, i wymyśliłem coś takiego.

Kiedy kandydaci wygłaszają przemówienia na sali gimnastycznej, na trybunach jest pełno ludzi. A wiem z telewizyjnych transmisji sportowych, że widzowie na stadionach wypisują sobie różne rzeczy na koszulkach.

Wczoraj wieczorem wziąłem trochę koszulek wujka Gary'ego z garażu, odwróciłem je na lewą stronę i na każdej wymalowałem literę, tak żeby razem tworzyły napis: GŁOSUJ NA ROWLEYA JEFFERSONA, TWOJEGO KIEROWNIKA SEKCJI KULTURALNEJ. Zajęło mi to całą noc i zużyłem chyba ze dwadzieścia flamastrów, ale wiedziałem, że wywołam sensację.

Rano wcześniej przyszedłem do szkoły i każdemu dzieciakowi, który zgodził się włożyć T-shirt, dawałem balonówę.

Kiedy jednak weszliśmy na salę gimnastyczną, zrozumiałem, że namówienie tych wszystkich ludzi, aby przestali się kręcić, jest zadaniem ponad moje siły.

Zaraz potem nam powiedziano, że przemówienia mają wygłaszać tylko kandydaci na szefa samorządu. Z ulgą przyjąłem tę informację, bo podczas próby generalnej mój przyjaciel okazał się emocjonalnym wrakiem.

Jako pierwsza przemawiała taka jedna dziewczyna, Sydney Greene, która jest totalną kujonką i nigdy nie opuściła ani jednego dnia szkoły. Obwieściła, że jeśli zostanie przewodniczącą, zdobędzie lepszy sprzęt do sali muzycznej i nowe okładki do książek bibliotecznych.

Następny był Bryan Pośladek. Jak tylko wicedyrektor Roy wywołał Bryana na scenę, całe audytorium zaczęło wydawać obrzydliwe dźwięki.

Jestem pewien, że Bryan powiedział mnóstwo interesujących rzeczy, ale w tym hałasie nie usłyszałem ani jednego słowa.

Mam tylko nadzieję, że Bryan nie będzie się w przyszłości ubiegał o stanowisko prezydenta Stanów Zjednoczonych. Jego wiece wyborcze byłyby ŻENUJĄCE.

Ostatnim kandydatem okazał się niejaki Eugene Ellis, który jako jedyny nie rozwieszał plakatów ani nie rozdawał lizaków. No więc nikt nie brał go poważnie.

Mowa wyborcza Eugene'a trwała zaledwie trzydzieści sekund. Dzieciak ogłosił, że jeśli zostanie przewodniczącym, zastąpi tani papier toaletowy w szkolnych łazienkach tym ekskluzywnym, dwuwarstwowym.

No a to wywołało istny szał na widowni. Uczniowie OD ZAWSZE skarżą się na jakość papieru toaletowego, bo ten, który kupuje szkoła, przypomina papier ścierny.

Z reakcji, jaką wywołały słowa Eugene'a, wnioskuję, że Sydney i Bryan mogą się pożegnać z fotelem przewodniczącego.

Czwartek

Tak jak przewidywałem, Eugene Ellis wygrał wybory przytłaczającą większością głosów. Rowley też wygrał i w ogóle okazał się jedynym kandydatem na stanowisko kierownika sekcji kulturalnej. Szkoda, że nie wiedziałem tego wcześniej, zaoszczędziłoby mi to masy trudu z T-shirtami.

Nowa rada zebrała się dziś po raz pierwszy. Pani Birch, która opiekuje się samorządem, powiedziała Eugene'owi, że dyrekcji nie stać na droższy papier toaletowy i że generalnie może o nim zapomnieć.

Straszna wieść obiegła szkołę lotem błyskawicy i ludzie dostali piany. Jedynym powodem, dla którego głosowali na Eugene'a, była jego obietnica wyborcza. Zresztą co rok zbieramy pieniądze na rzecz szkoły, no więc dorośli naprawdę mogliby przeznaczyć część tej kasy na jakiś ekstratowar.

Moim zdaniem belfrzy śpią na kasie od OSTATNIEJ akcji sprzedawania batoników. Osobie, która wpadła na ten szatański pomysł, należy się szacunek. Dyrekcja wysłała wtedy każdego dzieciaka do domu z pięćdziesięcioma batonikami Czekoladowy Chrup, które mieliśmy opchnąć sąsiadom.

Ale ja nie znam ani jednego ucznia, który nie zeżarłby co najmniej trzech albo czterech batonów jeszcze w drodze ze szkoły. Prawdę mówiąc, sam pochłonąłem ich piętnaście, zanim nakryła mnie mama.

Wiele rodzin musiało wypisać czek szkole i pokryć koszty zjedzonych słodkości. Możliwe nawet, że podczas tej zbiórki nie został sprzedany ani jeden batonik.

Sobota

Jeśli już mowa o czekach, wujek Gary przepuścił całą tygodniówkę i zapytał, czy mogę mu pożyczyć SWOJE zaskórniaki. Gdy tata o tym usłyszał, wpadł w furię.

Okazało się wtedy, że wujek wydał kieszonkowe na zdrapki w supersamie. A tata oświadczył, że łatwiej zostać trafionym piorunem, niż wygrać na loterii.

Ale powinien bardziej uważać na słowa, bo teraz Manny za nic nie wyściubi nosa za próg podczas deszczu.

Zdrapki to zresztą drażliwy temat. Kilka lat temu tata kupił wujkowi Gary'emu piękną zimową kurtkę na Gwiazdkę, a w zamian dostał zdrapkę. Wydawał się trochę zły o to, że wydał tyle pieniędzy, a brat odwdzięczył mu się prezentem za dolara.

Potem zdrapał monetą sreberko z tych małych kwadracików i zobaczył trzy wisienki, co oznaczało, że wygrał sto tysięcy dolarów.

Ale zaraz wyszło na jaw, że to był tylko upominek ze sklepu ze śmiesznymi rzeczami, czyli fałszywka.

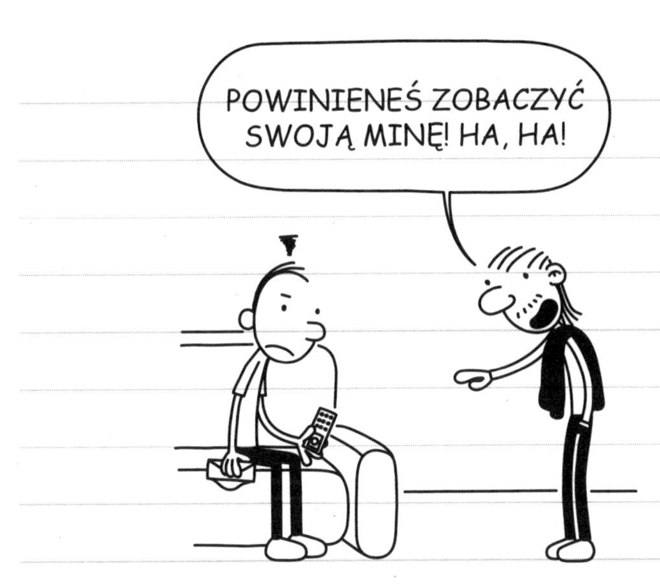

Nadal nie wolno wspominać tamtej Gwiazdki przy tacie, bo łapie wtedy doła na resztę dnia.

NAJBARDZIEJ na świecie tata pragnie tego, aby wujek Gary znalazł pracę i wreszcie się od nas wyniósł. Ja też zaczynam o tym marzyć, ponieważ ostatnio wujek spędza sporo czasu w moim pokoju, grając na komputerze.

Uzależnił się od tej gry o wirtualnym świecie, w którym można być, kimkolwiek się zechce, na przykład policjantem, robotnikiem na budowie albo gwiazdą rocka.

Ale nawet w tej grze wujek jest tylko bezrobotnym, który codziennie kupuje garść zdrapek.

LUTY

Czwartek

W tym tygodniu w szkole nastąpiły wielkie zmiany.

Wszystko zaczęło się od poniedziałkowego zebrania samorządu w pokoju nauczycielskim. Kiedy skarbnik, Javan Hill, poszedł skorzystać z łazienki, wrócił z rolką Miękkiego jak Podusia – czyli superdelikatnego papieru toaletowego.

Co oznacza, że nauczyciele zostawiali dobry papier dla siebie, podczas gdy nam wciskali to tanie paskudztwo.

Kiedy Eugene Ellis zażądał wyjaśnień, pani Birch nie mogła dłużej się wykręcać.

Powiedziała, że owszem, nauczyciele używają Miękkiego jak Podusia, ale budżet szkolny nie wytrzyma wyposażenia wszystkich WC w ekskluzywny papier.

Zaproponowała jednak kompromis: odtąd każdy uczeń będzie mógł przynosić WŁASNY papier z domu. A kiedy ogłoszono tę wiadomość przez radiowęzeł, to było wielkie zwycięstwo Eugene'a Ellisa i całego samorządu.

Już we wtorek zalegalizowano prywatny papier, no i powiem wam, że niektórzy chyba ździebko przeholowali.

Rekordziści przytargali tyle papieru, że zabrakło im miejsca w szafkach na korytarzu i musieli tachać go z klasy do klasy.

I na tym by się prawdopodobnie skończyło, gdyby nie to, że podczas lunchu ktoś w kogoś cisnął rolką i nie minęło piętnaście sekund, nim rozpętało się białe szaleństwo.

No i po południu dyrektor powiedział przez radiowęzeł, że od teraz każdemu wolno przynosić do szkoły tylko pięć kawałków papieru dziennie. Co wydaje się niedorzeczne, bo nie potrafię wskazać NIKOGO, komu wystarczyłoby pięć kawałków.

Wczoraj nauczyciele przyłapali kilkoro dzieciaków na szmuglowaniu nielegalnych nadwyżek papieru. Dlatego od dziś jesteśmy poddawani rewizji osobistej.

Czwartek

Zanim dyrektor uchwalił w zeszłym tygodniu limit pięciu kawałków, zdążyłem wypchać swoją szafkę na korytarzu jakimiś dwudziestoma rolkami.

Belfrzy od czasu do czasu urządzają łapanki, tak więc zrozumiałem, że prędzej czy później wpadnę.

Mój zapas musiał mi wystarczyć do końca roku szkolnego, czyli potrzebowałem bezpieczniejszej kryjówki.

Doszedłem do wniosku, że JEDYNY sposób to zdobyć na wyłączność jedną z kabin w WC i ukryć tam cały papier.

No więc w poniedziałek wybrałem sobie czyściutką kabinę, zamknąłem drzwi na zasuwkę i wyczołgałem się dołem.

Potem wsunąłem przed kibelek stare, przyniesione z domu trampki, żeby kabina wyglądała na zajętą.

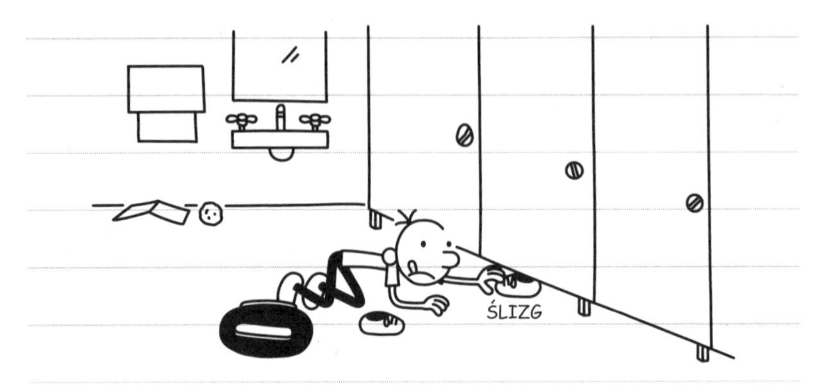

Kiedy tylko potrzebowałem skorzystać z ubikacji, czekałem, aż łazienka opustoszeje, a potem wpełzałem do mojej prywatnej kabiny. Czułem się, jakbym miał w środku mały apartamencik. W sumie to żałuję, że wpadłem na tę myśl tak późno.

Przez parę dni system działał bez zarzutu. Nikt nawet NIE PRÓBOWAŁ wepchnąć się do mojej kabiny.

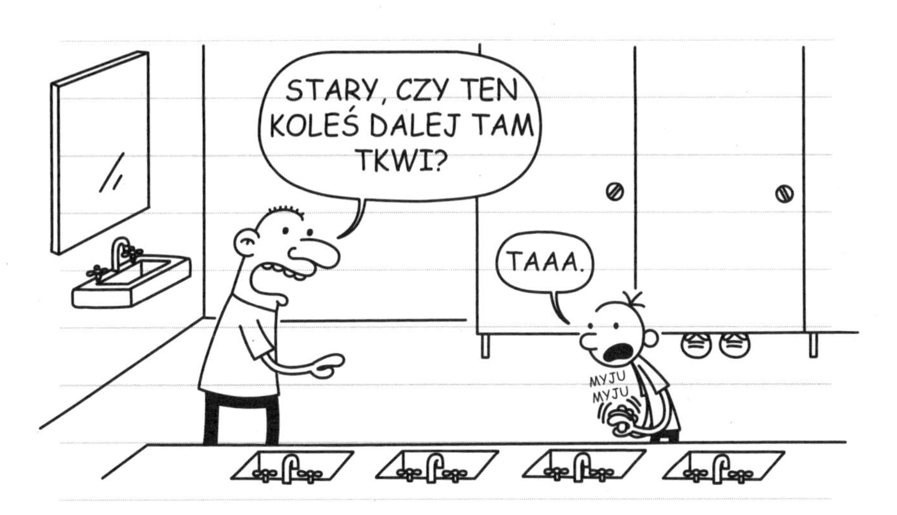

Ale raz, używając kibelka, zapomniałem zgarnąć z podłogi jeden z trampków, co musiało wyglądać mocno podejrzanie.

Ludzie błyskawicznie odkryli moje źródełko ekskluzywnego papieru, no i to był początek końca.

Piątek

Historia z papierem sporo nas nauczyła. Jeśli chcesz coś mieć, musisz skołować kasę.

No więc w zeszłym tygodniu samorząd urządził burzę mózgów dotyczącą kolejnej szkolnej zbiórki funduszy. Wiceprzewodnicząca Hillary Pine powiedziała, że powinniśmy przeprowadzić akcję mycia samochodów, a sekretarz Olivia Davis stwierdziła, że możemy zorganizować wielką garażówkę.

Przyszło mi do głowy, że zajefajnie byłoby sprzedawać popcorn o smaku karmelowym, ale Rowley nie podkręcił dźwięku w krótkofalówce... albo po prostu wszyscy mnie zignorowali.

Eugene Ellis zasugerował zapasy na sali gimnastycznej, a Javan Hill - pokaz motocrossu. Ale nie mogli się dogadać, co będzie lepsze, więc w końcu zagłosowali za imprezą połączoną: miksem motocyklistów i zapaśników.

Chyba jednak Eugene uświadomił sobie, ile harówy wymaga ten projekt, bo zrzucił go na swoją zastępczynię. Hillary zaraz utworzyła komitet do spraw zbierania funduszy i włączyła do pracy inne dziewczyny z samorządu.

W poniedziałek Hillary zaraportowała samorządowi, że wszystko jest pod kontrolą, tylko że komitet wprowadził do planu Eugene'a „drobne zmiany".

W jakiś przedziwny sposób show motocyklowo--zapaśnicze przeobraziło się w potańcówkę z okazji WALENTYNEK. Eugene i inne chłopaki zaprotestowali, ale pani Birch powiedziała, że muszą uszanować decyzję komitetu. (Chociaż tak naprawdę chodziło pewnie o to, że nie do końca była przekonana do idei motocykli szalejących w naszej sali gimnastycznej).

Odkąd wieść o potańcówce obiegła szkołę, nikt o niczym innym nie mówi. Dziewczyny najwyraźniej strasznie się nakręciły i traktują te tańce, jakby to była jakaś gimnazjalna wersja balu maturalnego.

Powstał już nawet nowy specjalny komitet, do którego został zaproszony Rowley - jako kierownik sekcji kulturalnej. Cieszę się, że jest jakaś męska reprezentacja w tym komitecie, bo gdyby dać dziewczynom wolną rękę, musielibyśmy znosić przez cały wieczór Krisstinę.

Większość chłopaków miała w nosie tańce. Niektórzy twierdzili, że nie wybulą trzech baksów za udział w balu gimnazjalnym. Ale nastroje uległy zmianie, kiedy na godzinie wychowawczej pierwszy Słodki Liścik trafił do adresata.

Słodkie Liściki to zaproszenia na bal walentynkowy, a komitet zaczął je sprzedawać parę dni temu podczas lunchu. Za dwadzieścia pięć centów można wysłać Słodki Liścik, do kogo się tylko chce, i Bryce Anderson natychmiast dostał takie świstki od przynajmniej pięciu różnych dziewczyn.

Po tym, jak pierwsza fala Słodkich Liścików dotarła do odbiorców, goście, którzy nie dostali żadnej kartki, zaczęli zazdrościć tym, co mieli więcej szczęścia. I teraz nagle KAŻDY planuje iść na tańce, bo nikt nie chce zostać na lodzie. No więc podczas wczorajszego lunchu przy stoisku ze Słodkimi Liścikami zrobił się duży ruch.

Jak pisałem wcześniej, w moim roczniku jest więcej facetów niż lasek i chyba niektórzy się boją, że nie znajdą pary. Dlatego większość chłopaków zachowuje się teraz zupełnie inaczej, gdy obok przechodzi jakaś dziewczyna.

W stołówce panował do niedawna następujący zwyczaj: chłopaki nabierały na łyżki tłuczonych ziemniaków, po czym próbowały przyklejać purée do sufitu.

Nie pytajcie mnie, CO kucharze wkładają do tych ziemniaków, ale one naprawdę się trzymają.

A ja, siadając do stołu, czasem zapominam o względach bezpieczeństwa.

Dziewczyny nie znoszą tego ziemniaczanego zwyczaju i dlatego zajmują miejsca na drugim końcu stołówki. Ale teraz chłopaki wiedzą, że nie namówią na tańce żadnej koleżanki, jeśli będą robić z siebie kretynów.

Dla wielu z nas dojrzałe zachowanie w obecności dziewczyny jest wykańczające. Więc nic dziwnego, że niektórzy kolesie dostają prawdziwej korby, kiedy lasek nie ma w pobliżu.

W tym roku na koszykówce chłopcy ćwiczą po jednej stronie sali gimnastycznej, a dziewczyny po drugiej. Parę dni temu niejaki Anthony Renfrew uznał, że ogromnie śmiesznym żartem będzie ściągnięcie spodenek Danielowi Revisowi wykonującemu rzut wolny.

Śmiali się wszyscy poza Danielem, który jednak później zemścił się na Anthonym, kiedy ten przymierzał się do dwutaktu. No a potem to już była wolna amerykanka, każdy majtkował każdego. I odtąd nastroje są naprawdę FATALNE.

Wszyscy mamy takiego stracha przed majtkowaniem, że nawet rozgrzewki nie chcemy wykonywać na stojąco.

Ja wręcz zacząłem nosić dwie pary bokserek pod spodenkami - na wszelki wypadek.

Sprawy przybrały taki obrót, że wicedyrektor Roy przyszedł dzisiaj na salę gimnastyczną wygłosić pogadankę. Powiedział, że nie ma się z czego śmiać i że każdy, kto ściągnie spodenki innemu uczniowi, zostanie zawieszony.

Jednak pan Roy powinien był raczej zachować większą czujność, bo nagle czyjaś ręka wychynęła zza trybun i pociągnęła go za spodnie.

Ktokolwiek to zrobił, błyskawicznie dał nogę. Nikt nie zna tożsamości zamachowca, ale przylgnęła do niego ksywka Kuba Rozbieracz.

Wtorek

Mija już jakiś tydzień od początku tej hecy ze Słodkimi Liścikami i zaczynam się trochę martwić, bo na razie nie dostałem żadnych propozycji. Nigdy w życiu nie bombardowałem sufitu tłuczonymi ziemniakami i nigdy też nie ściągnąłem nikomu spodenek, no więc nie wiem, co więcej może zrobić facet, żeby zaimponować dziewczynie w dzisiejszych czasach.

Najwyraźniej każdy chłopak, z którym chodzę na godzinę wychowawczą, otrzymał Słodki Liścik. Nawet Travis Hickey, a jest to koleś, który zeżre skórkę pizzy prosto z kubła na śmieci, jeśli dasz mu ćwierć dolca.

Któregoś wieczoru, kiedy wujek Gary grał na komputerze w moim pokoju, opowiedziałem mu o balu walentynkowym i o Słodkich Liścikach. No i wyobraźcie sobie, że sprzedał mi niezły pomysł.

Wyjaśnił, że dziewczyny najbardziej kręci, jak się przy nich udaje „niedostępnego". Oświadczył, że powinienem kupić masę Słodkich Liścików i wysłać je do SAMEGO SIEBIE, a wtedy laski stwierdzą, że jestem naprawdę gorącym towarem.

Żałuję, że nie pogadałem wcześniej z wujkiem Garym. On żenił się już cztery razy, więc jest EKSPERTEM w tej dziedzinie.

Wczoraj nakupowałem Słodkich Liścików za dwa dolce i dzisiaj na godzinie wychowawczej wszystkie do mnie wróciły.

Lepiej, żeby ta inwestycja się opłaciła, bo to były pieniądze przeznaczone na lunch.

Piątek

Do środy przepuściłem już pięć dolarów i zrozumiałem, że jak tak dalej pójdzie, czeka mnie śmierć głodowa. No więc postanowiłem napisać do DZIEWCZYNY i zobaczyć, co się stanie.

Wczoraj podczas lunchu wykosztowałem się na kolejny Słodki Liścik i posłałem go do Adrianne Simpson, która siedzi trzy rzędy ode mnie na angielskim. A że nie chciałem całej ćwierćdolarówki stawiać na jednego konia, wybrałem opcję ekonomiczną.

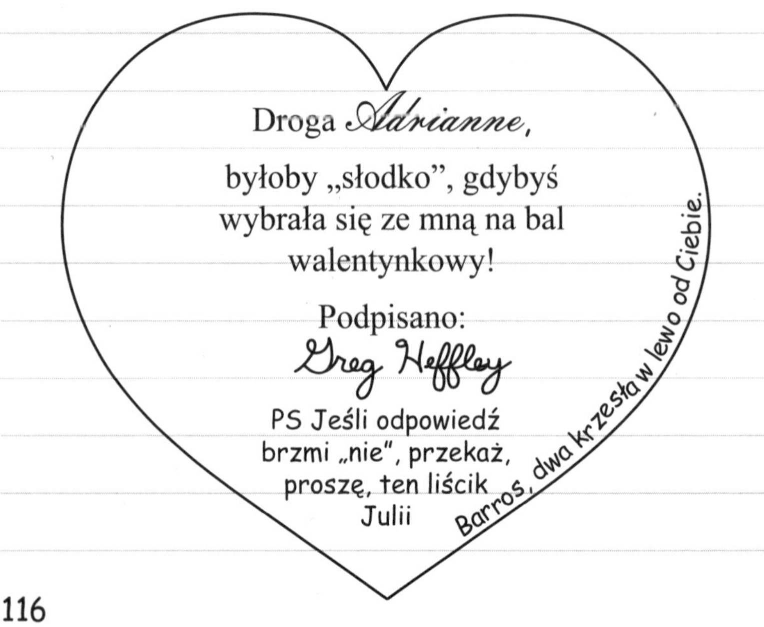

Adrianne i Julia posłały mi niezbyt życzliwe spojrzenia, kiedy przekroczyłem dzisiaj próg klasy, więc, jak sądzę, odpowiedź brzmi „nie" w obu przypadkach.

Zdałem sobie jednak sprawę, że poza Słodkim Liścikiem istnieją INNE sposoby zaproszenia dziewczyny na tańce. Jest taka jedna panna, Leighann Marlow, która na godzinie wychowawczej siedzi na tym samym krześle, na którym ja siedzę podczas lekcji historii. No więc napisałem jej wiadomość na biurku i nie kosztowało mnie to złamanego centa.

Niestety zupełnie zapomniałem, że w tej samej sali siedzą po południu kolesie zamknięci w kozie, więc jakiś debil dopisał się pod moim listem, zanim Leighann miała szansę go przeczytać.

Zjadają mnie nerwy, bo wygląda na to, że już nie bardzo mam w kim wybierać.

Jedną z lasek, które jeszcze się z nikim nie umówiły, jest Erika Hernandez. Erika dopiero co zerwała ze swoim chłopakiem, Jamarem Lawem, słynącym w naszej szkole z tego, że wsadził głowę w oparcie krzesła. W końcu woźny musiał pospieszyć mu na odsiecz z piłą do metalu. Wszystko to zostało uwiecznione w księdze pamiątkowej.

Krzesło grozy: Jamar Law potrzebuje pomocy pana Lewisa po tym, jak się zaklinował podczas lekcji plastyki z panią Moran.

Erika jest bardzo ładna i fajna, więc nie mam pojęcia, co jej strzeliło do głowy, żeby chodzić z takim jełopem jak Jamar.

Mogłaby nawet OTWIERAĆ moją randkową listę, gdyby nie jeden szczegół. Co, jeśli nam się uda, a ja zawsze będę sobie wyobrażał jej byłego chłopaka i nie zdołam pogodzić się z przeszłością?

Przez tę sytuację z Eriką Hernandez zacząłem zadawać sobie pytanie, ile dziewczyn ma takiego Jamara Lawa na koncie. Trudno się połapać, kto z kim kręcił w naszej szkole, a to ważna informacja dla faceta szukającego partnerki na bal walentynkowy. No więc rozrysowałem sobie mapkę, żeby lepiej się zorientować w związkach uczuciowych ludzi z mojego rocznika.

Nadal jest niekompletna, ale ogólnie rzecz biorąc, wygląda to tak:

Niepokoi mnie taki jeden chłopak, Evan Whitehead. Osobiście słyszałem, jak się przechwalał, że całował masę dziewczyn z mojego rocznika.

A w zeszłym tygodniu został odesłany do domu z ospą wietrzną, o której nawet nie wiedziałem, że JESZCZE się na nią choruje. No więc kto wie, ile lasek Evan zdążył zarazić?

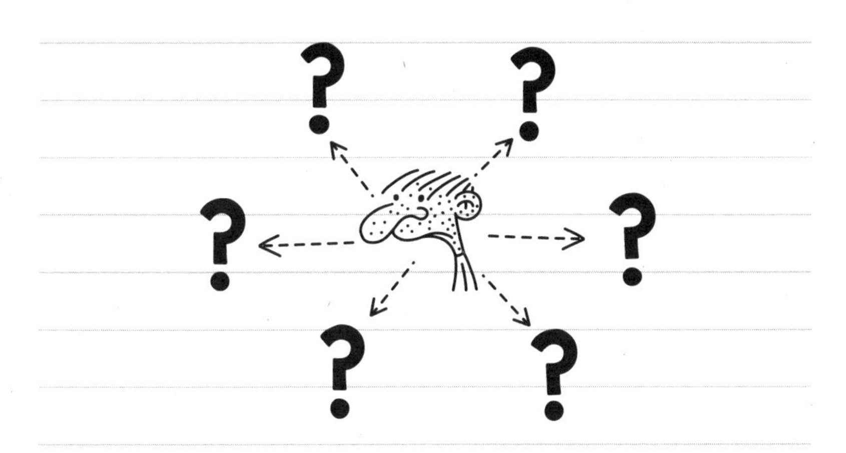

Jedyna dziewczyna, o którą jestem spokojny, to Julie Webber. Julie od piątej klasy podstawówki prowadza się z Edem Norwellem. Ostatnio jednak ich przyszłość rysuje się dość mgliście, a ja zamierzam zrobić wszystko, aby przyspieszyć nieunikniony rozpad tego związku.

Wtorek

Wujek Gary powiedział, że jeśli chcę sobie znaleźć dziewczynę na tańce, muszę zaprosić ją osobiście. Cóż, tego właśnie starałem się uniknąć, ale myślę, że on może mieć rację.

Jest taka jedna, Peyton Ellis, w której zawsze trochę się podkochiwałem. Więc kiedy wczoraj zobaczyłem, jak pije wodę, stanąłem obok i czekałem cierpliwie, aż skończy. Ale Peyton musiała zauważyć mnie kątem oka i zorientować się, o co chcę ją poprosić, bo dalej piła i piła, a ja tkwiłem tam jak idiota.

No a potem zadzwonił dzwonek i musieliśmy iść na zajęcia.

Ledwie znam Peyton, więc może to w ogóle nie był dobry pomysł. Uświadomiłem sobie, że powinienem raczej spróbować z dziewczynami, z którymi mam coś wspólnego. A pierwszą osobą, jaka przyszła mi do głowy, była Bethany Breen. Koleżanka, z którą przeprowadzam doświadczenia na zajęciach z przyrody.

Ale Bethany chyba nie ma o mnie najlepszego zdania. Przerabiamy właśnie anatomię i przez ostatnie dni robiliśmy sekcję żaby. Okropnie brzydzę się takich rzeczy, więc zostawiam Bethany całą brudną robotę, a sam czekam po drugiej stronie sali, próbując nie zwymiotować.

Naprawdę nie rozumiem, czemu w dzisiejszych czasach nadal kroimy martwe żaby, żeby sprawdzić, co mają w środku.

Gdyby ktoś mnie zapewnił, że w środku żaby znajdują się serce i jelita, uwierzyłbym mu na słowo.

Byłem zachwycony, że jako partnerka do ćwiczeń trafiła mi się właśnie Bethany. Pamiętam, jak w szkole podstawowej, gdy tylko nauczyciel wyznaczał dziewczynę i chłopaka do zrobienia czegoś razem, inne dzieciaki dostawały MAŁPIEGO ROZUMU.

Kiedy sparowano mnie z Bethany, miałem nadzieję na jakąś reakcję reszty klasy. Ale ludzie chyba już trochę z tego wyrośli.

Chociaż nie zaimponowałem Bethany podczas sekcji, nadal sądziłem, że mogę przed nią zabłysnąć. Nie chcę się przechwalać czy coś, ale jestem NIELICHO zabawnym partnerem do ćwiczeń.

Pod koniec zajęć podszedłem do Bethany, która akurat wyciągała płaszcz z szafki.

Przyznaję, że trochę mnie stresowała myśl o zagadaniu do niej, chociaż codziennie spędzamy razem czterdzieści pięć minut. Ale zanim zdołałem wydusić z siebie choćby jedno słowo, zacząłem myśleć o żabach. No więc między nami raczej nie zaiskrzy.

Wujek Gary, któremu zdałem relację z tego, co zdarzyło się w szkole, wyjaśnił mi, na czym polega problem. Otóż nie mogę działać sam. Potrzebuję skrzydłowego, czyli kogoś, kto pomagałby mi zrobić wrażenie na dziewczynach.

Cóż, Rowley to dla mnie IDEALNY skrzydłowy. Wystarczy, że będzie sobą, a ja już korzystnie wypadnę na jego tle.

Dzisiaj poprosiłem Rowleya, żeby został moim skrzydłowym, ale on raczej nie załapał. Powiedziałem, że byłby takim jakby szefem mojej kampanii wyborczej, tyle że chodziłoby o tańce.

Rowley odparł, że chyba każdy z nas powinien być skrzydłowym tego DRUGIEGO, żebyśmy obaj znaleźli sobie partnerki na bal, ale ja zaoponowałem, mówiąc, że nie możemy się rozdrabniać. Sądzę, że trzeba zacząć ode mnie. Znalezienie dziewczyny dla Rowleya wygląda mi na projekt długoterminowy.

Próbę ataku oskrzydlającego przeprowadziliśmy w stołówce. Cóż, myślę, że wiele szczegółów można by jeszcze dopracować.

Czwartek

Kiedy dzisiaj wracaliśmy ze szkoły, Rowley miał dla mnie niusa. Podczas zebrania komitetu usłyszał od jakiejś dziewczyny, że Alyssa Grove rozstała się z chłopakiem i szuka partnera na bal.

No i widzicie, WŁAŚNIE dlatego mianowałem Rowleya swoim skrzydłowym. Alyssa jest jedną z najpopularniejszych lasek w szkole, więc muszę działać szybko, zanim wystartuje do niej jakiś następny ospowaty.

Po powrocie do domu natychmiast zadzwoniłem do Alyssy, ale jej nie zastałem. Sekretarka włączyła się prawie od razu i zanim się spostrzegłem, już nagrywałem wiadomość.

Niewiele myśląc, skasowałem nagranie i zacząłem od nowa. Ale druga próba też nie była oszałamiająca.

Zostawiłem chyba ze dwadzieścia wiadomości, bo chciałem wypaść, jak należy. Ale w pokoju był ze mną Rowley, który próbował zachować całkowitą ciszę, i kiedy tylko na niego spojrzałem, zupełnie gubiłem wątek.

Oczywiście bardzo szybko dostaliśmy totalnej głupawki.

Wiedziałem, że nie ma szans, abym nagrał coś sensownego, dopóki jest ze mną Rowley, więc skasowałem ostatnią wiadomość i odłożyłem słuchawkę. No bo równie dobrze mogłem poczekać i następnego dnia rano porozmawiać z Alyssą.

Ale było coś, o czym nie wiedziałem. Przyciskany przeze mnie guzik wcale nie kasował nagrań na sekretarce automatycznej państwa Grove. I dlatego po obiedzie zapukał do naszych drzwi ojciec Alyssy.

Pan Grove powiedział tacie, że ja i mój kolega zostawiliśmy dwadzieścia głupich wiadomości na jego sekretarce i że byłby wdzięczny, gdybyśmy raz na zawsze odczepili się od jego rodziny.

No więc chyba będę musiał wykreślić Alyssę z mojej listy.

Poniedziałek

Wujek Gary powiedział, że jeśli chcę wysyłać dziewczynom w szkole właściwe sygnały, powinienem nieco odświeżyć garderobę. Oświadczył, że nowa koszula albo buty zawsze dodają mu pewności siebie i że ze mną może być tak samo.

Rzecz w tym, że ja NIE MAM prawie żadnych nowych ciuchów. Jakieś 90% łachów donaszam po Rodricku. Mama uznałaby, że przesadzam, ale wystarczy przyjrzeć się naszywkom w moich slipach.

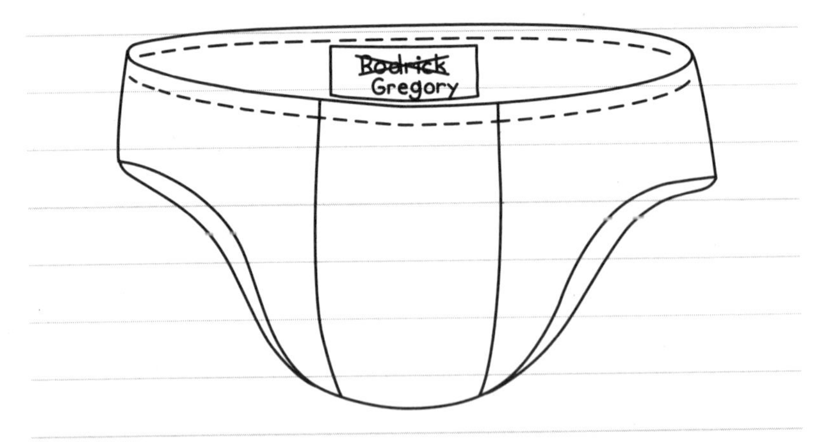

Dotąd nie zwracałem specjalnej uwagi na ubrania, ale teraz wujek Gary zabił mi ćwieka. Chyba muszę bardziej zadbać o wizerunek.

W weekend zapytałem mamę, czy moglibyśmy mi kupić jakieś nowe dżinsy i buty, żebym zadał w szkole szyku. Ale zaraz pożałowałem każdego swojego słowa.

Mama naturalnie palnęła mi kazanie o tym, jak dzieciaki w gimnazjum przywiązują nadmierną uwagę do wyglądu. I dodała, że gdybyśmy poświęcili na naukę połowę czasu, jaki zabiera nam decyzja, w co się ubrać, Stany Zjednoczone nie byłyby w matematyce na dwudziestym piątym miejscu.

Powinienem był się domyślić, że mama nie wybiegnie natychmiast z domu, żeby kupić mi masę nowych ubrań. Prawda jest taka, że kiedy wybrano ją do komitetu rodzicielskiego, wystosowała do dyrekcji petycję, w której apelowała o wprowadzenie mundurków, bo przeczytała w jakimś artykule, że dzieci, które chodzą w mundurkach, osiągają lepsze wyniki.

Na szczęście nie zebrała wystarczającej liczby głosów, no ale szybko się rozeszło, że to był pomysł mojej mamy, i przez parę tygodni dla własnego bezpieczeństwa musiałem ukrywać się w szkole przez pół godziny po lekcjach.

Kiedy mama odmówiła pójścia ze mną na zakupy, postanowiłem pomyszkować trochę po domu w poszukiwaniu jakichś odlotowych rzeczy.

Zacząłem od ubrań Rodricka, chociaż doprawdy nie sądzę, abyśmy mieli ten sam gust.

Wujek Gary poradził mi, żebym poszukał w ciuchach taty, bo czasem u dorosłych można znaleźć naprawdę czadowy vintage. W życiu nie widziałem na tacie niczego szałowego, ale co szkodziło spróbować?

No i zaraz się ucieszyłem, że wujek Gary podsunął mi tę myśl, bo wierzcie lub nie, ale znalazłem DOKŁADNIE to, czego szukałem: CZARNĄ SKÓRZANĄ KURTKĘ,

schowaną głęboko w szafie. Nigdy nie widziałem, żeby tata miał ją na sobie. Musiał kupić tę skórę, zanim się urodziłem.

Byłem w szoku, że tata nosił coś tak zajefajnego, i nagle go zobaczyłem w zupełnie nowym świetle.

Zarzuciłem kurtkę na siebie i poszedłem na dół. Tata wyglądał na bardzo zdziwionego. Powiedział, że sprawił ją sobie przed pierwszą randką z mamą.

Spytałem, czy mogę w niej pójść do szkoły, na co on, że nie ma sprawy, bo już jej przecież nie potrzebuje.

Mama, niestety, nie podzielała jego opinii. Obwieściła, że kurtka jest o wiele za drogim ubraniem dla ucznia gimnazjum i że mogę ją zniszczyć albo zgubić.

Stwierdziłem, że to nie w porządku, bo dotąd skóra wisiała w szafie, zbierając kurz, i nikogo by nie obeszło, gdyby coś się z nią stało. Ale mama odparła, że kurtka „wysyła niewłaściwe sygnały", a poza tym nie nadaje się na zimę. I kazała mi odnieść ją na miejsce.

Dziś rano pod prysznicem nie mogłem przestać myśleć o tym, jakie zrobiłbym wrażenie, pojawiając się w kurtce taty na szkolnym korytarzu. Wiedziałem, że mógłbym niepostrzeżenie wykraść ją z domu i odłożyć do szafy, zanim mama się zorientuje.

No więc kiedy ona wpychała w Manny'ego śniadanie, pobiegłem na górę, zabrałem kurtkę i błyskawicznie wymknąłem się frontowymi drzwiami.

No i zaraz odkryłem, że mama miała rację. Skórzana kurtka nie nadaje się na zimę.

Nie miała żadnej podszewki ani niczego i już w połowie drogi do szkoły zacząłem żałować swojej decyzji.

Rękawiczki zostawiłem w zimowym palcie, więc ZGRABIAŁY mi ręce. Wsadziłem je do kieszeni i w tym samym momencie w każdej z nich na coś natrafiłem.

A mianowicie na nieziemskie ciemne okulary pilotki i na pasek zdjęć z automatu.

Z początku nie mogłem rozpoznać ludzi na obrazkach, ale potem zrozumiałem, że to moi rodzice.

Naprawdę wolałbym tego nie oglądać zaraz po śniadaniu.

Kiedy przekroczyłem próg szkoły i ruszyłem przez korytarz, wszystkie oczy zwracały się w moją stronę.

Prawdę mówiąc, wzbudzałem taką sensację, że postanowiłem nie zdejmować kurtki aż do końca lekcji. Czułem się jak zupełnie nowy ja.

Na parę minut przed pierwszą przerwą ktoś głośno zapukał w szybkę w drzwiach.

No i prawie zszedłem na zawał, jak zobaczyłem tę twarz.

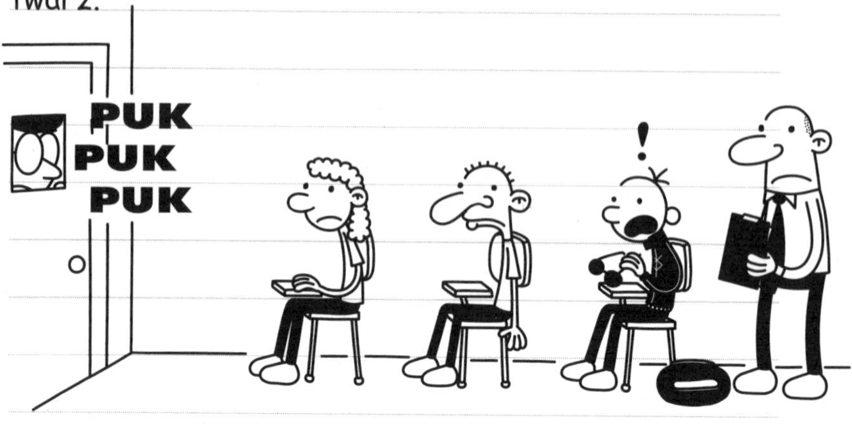

Gdy nauczyciel otworzył, mama podeszła prosto do mnie i kazała mi natychmiast ściągać skórzaną kurtkę taty. Na oczach wszystkich.

Powiedziałem, że jest zbyt zimno, aby wracać ze szkoły w samym swetrze, a wtedy ona oddała mi SWÓJ zimowy płaszcz.

Nie byłem najszczęśliwszym człowiekiem na świecie, ale przynajmniej nie marzłem, idąc do domu.

Środa

Już wszyscy w szkole znają historię kolesia, któremu mama kazała wracać do domu w swoim płaszczu. A to raczej mi nie ułatwi znalezienia partnerki na bal.

Dlatego właśnie postanowiłem, że spróbuję szczęścia u kogoś, kto NIE chodzi do mojej szkoły.
I pomyślałem sobie, że najlepszym miejscem do tego jest kościół.

Podobno dzieciaki, które chodzą do szkoły przy naszej parafii, uważają ludzi ze szkoły publicznej za prawdziwych twardzieli. No więc kiedy wpadam na jakiegoś kumpla w kościele, zawsze staram się zrobić małe show.

Ostatnio mama zaprzyjaźniła się z niejaką panią Stringer, bo obie były w komitecie parafialnym organizującym kiermasz jesienny.

Wesley i Laurel, syn i córka państwa Stringerów, chodzą do przedszkola i szkoły przy kościele. W sumie nigdy nie widziałem tego Wesleya, więc pewnie podczas mszy siedzi z innymi maluchami w pokoju zabaw.

Niedawno mama zaprosiła całą rodzinę Stringerów na piątkową kolację. Chyba ma nadzieję, że Manny i Wesley znajdą wspólny język i młody w końcu zdobędzie jakiegoś przyjaciela.

Ale ja dostrzegłem tu WŁASNĄ szansę. Laurel jest w moim wieku, a wygląda lepiej niż większość moich koleżanek. No więc ta kolacja może się okazać prawdziwym przełomem.

Piątek

Mama spędziła mnóstwo czasu, doprowadzając dom do stanu używalności przed wizytą Stringerów, ale kiedy się rozejrzałem, uznałem, że chyba muszę jej pomóc.

Wszędzie było mnóstwo żenujących rzeczy, na przykład w salonie nadal mieliśmy choinkę. Żeby oszczędzić sobie zachodu z tym całym rozbieraniem, tata i ja po prostu wepchnęliśmy ją do garażu.

Rogi mebli wciąż zabezpieczały pieluchy – pamiątka z czasów, gdy Manny uczył się raczkować, a mama chciała uczynić dom „przyjaźniejszym" dla dziecka.

Do przyklejania pieluch użyła pakowej taśmy klejącej, więc domyślacie się, że nie było LEKKO.

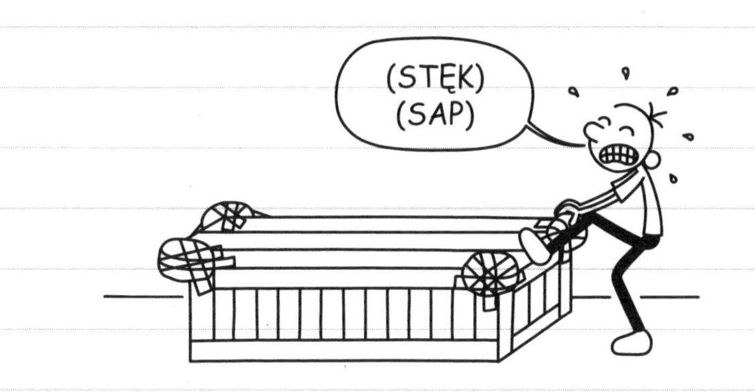

Wujka Gary'ego drzemiącego na kanapie po prostu przykryliśmy prześcieradłem - z nadzieją, że nikt nie będzie chciał tam usiąść.

Następna w kolejności była kuchnia. Na ścianie wisi tablica ogłoszeń z różnymi dyplomami i nagrodami, które przyznaje nam mama.

Wszystkie papiery z moim imieniem są totalnie lamerskie, więc zerwałem je ze ściany i schowałem w spiżarni.

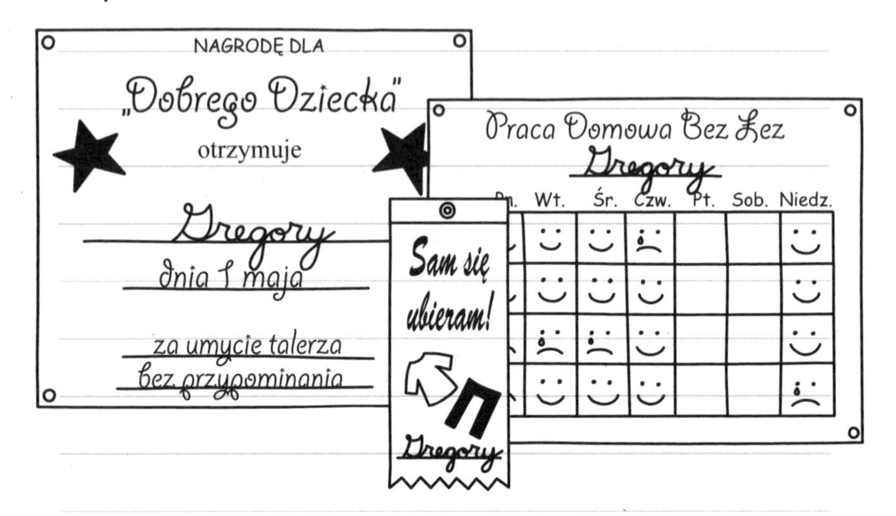

Do pojawienia się Stringerów z grubsza ogarnęliśmy dom. Ale proszona kolacja zaczęła się od niemałego zgrzytu. Pamiętacie, jak pisałem, że Manny boi się pewnego dzieciaka, który udaje wampira? No więc wyszło na jaw, że to właśnie jest Wesley Stringer.

Tak oto wszelkie szanse na wielką przyjaźń zostały pogrzebane. Manny nie chciał nic jeść i spędził resztę wieczoru schowany w swojej sypialni. W sumie pożałowałem, że nie poszedłem w jego ślady, kiedy się okazało, że mama przygotowała naprawdę wytworną kolację.

Podała kurczaka w musie grzybowym ze szparagami. Wiem, że szparagi to samo zdrowie, ale dla mnie są tak samo zabójcze jak kryptonit dla Supermana.

Nie chciałem jednak wyjść na prostaka przy Laurel, więc postanowiłem zamknąć oczy, zatkać nos i jakoś przełknąć to obrzydlistwo.

Dorośli dyskutowali o polityce i innych nieciekawych rzeczach, a ja i Laurel nudziliśmy się jak mopsy.

Mama opowiedziała pani Stringer o pewnej eleganckiej restauracji, do której tata zabiera ją na „randkę", na co pani Stringer odparła, że ona nie może nigdzie wybrać się z mężem, bo Laurel ciągle gdzieś lata z koleżankami, a nie sposób znaleźć godnej zaufania niani dla Wesleya.

Wtedy, niewiele myśląc, zaproponowałem, żeby wzięli pod uwagę MNIE.

Pomyślałem, że to dobry sposób, aby wkraść się w łaski Stringerów, a przy okazji skosić trochę kasy. Mamie spodobał się ten pomysł – powiedziała, że opieka nad dzieckiem byłaby dla mnie bardzo rozwijającym doświadczeniem. Pani Stringer wyglądała na pozytywnie wstrząśniętą i zapytała, czy mam czas jutro, na co ja zapewniłem ją, że naturalnie.

Nie chcę się przechwalać, ale jestem przekonany, że w przyszłości, podczas któregoś Święta Dziękczynienia, ja i Stringerowie będziemy śmiać się do rozpuku z tego, że w gimnazjum użyłem mojego szwagra Wesleya jako pretekstu do randki z Laurel.

Sobota

O szóstej trzydzieści mama podrzuciła mnie do Stringerów.

Dowiedziałem się, że Laurel poszła do koleżanki, co mnie trochę zdenerwowało, bo miałem jednak nadzieję, że zamienimy parę słów o balu.

Pani Stringer oświadczyła, że Wesley ma pójść spać o ósmej, a oni wrócą około dziewiątej. Dodała, że mogę sobie pooglądać telewizję i brać jedzenie z lodówki.

Kiedy Stringerowie wyszli, zostałem sam na sam z Wesleyem. Gdy zapytałem małego, czy chce pograć w planszówkę albo coś w tym stylu, on odparł, że wolałby iść do garażu po swój rowerek.

Wyjaśniłem mu, że na dworze jest za zimno na rower, ale Wesley powiedział, że będzie jeździł na rowerku W DOMU. Stringerowie mają naprawdę fajną chatę i na pewno nie życzyliby sobie, aby smarkacz porysował ich drewniany parkiet. No więc oświadczyłem, że musimy porobić coś innego.

Wtedy Wesley dostał szału. Kiedy wreszcie się uspokoił, poinformował mnie, że w takim razie będzie rysował. Zapytałem, gdzie ma kredki i całą resztę, a on na to, że w pralni. Ale kiedy tylko się tam znalazłem, ktoś zdradziecko zatrzasnął drzwi.

Potem usłyszałem otwieranie garażu, no a później Wesleya jeżdżącego na rowerku wokół kuchennego stołu.

Zacząłem walić w drzwi, żeby mnie wypuścił, ale on miał kompletną olewkę.

Nagle dobiegł mnie odgłos otwierania piwnicy, jakiegoś turkotania, a wreszcie WIELKIEJ stłuczki. Rozległ się płacz Wesleya pod schodami, no więc wpadłem w panikę, bo to brzmiało tak, jakby naprawdę zrobił sobie krzywdę.

Ale Wesley nagle się uspokoił i usłyszałem, jak wciąga rowerek po schodach. Potem zjechał raz jeszcze do piwnicy i po raz KOLEJNY rozbił się na dole, co ZNÓW zakończyło się szlochaniem.

Nie przesadzam, twierdząc, że to trwało dobre półtorej godziny. Myślałem, że Wesley w końcu się zmęczy, ale ten dzieciak jest niezniszczalny. Przypomniałem sobie, jak Stringerowie mówili, że nie mogą znaleźć niani, i zacząłem rozumieć dlaczego.

Uznałem, że powinienem ukarać Wesleya za zamknięcie mnie w pralni, gdy tylko się z niej wydostanę. ZASŁUŻYŁ na lanie, choć to pewnie nie spodobałoby się Stringerom.

Zdecydowałem, że każę smarkaczowi pójść do kąta, bo tak zawsze karali mnie rodzice, kiedy byłem niegrzeczny. Prawdę mówiąc, karał mnie w ten sposób nawet RODRICK.

Nie wiedziałem wtedy jeszcze, że brat NIE ma prawa mi rozkazywać. A nie zliczę godzin, które spędziłem w kącie, gdy Rodrick się mną „opiekował".

Kiedyś byliśmy sami w domu, a ja bawiłem się piłką i niechcący potłukłem ramkę z fotografią ślubną rodziców. Rodrick posłał mnie za karę na pół godziny do kąta.

Kiedy mama i tata wrócili, zobaczyli zniszczone zdjęcie i zapytali, który z nas to zrobił. Przyznałem się, że ja, ale dodałem, że nie muszą mnie już karać, bo RODRICK ich wyręczył.

Na co mama oznajmiła, że jedynymi ludźmi wymierzającymi kary w tym domu są rodzice, no i tak zarobiłem DRUGIE siedzenie w kącie.

Wesley zdecydowanie zasłużył na POTRÓJNE siedzenie w kącie za zamknięcie mnie w pralni. Ale robiło się już bardzo późno, a ja wiedziałem, że nie wypadnę korzystnie, jeśli Stringerowie zastaną mnie w potrzasku.

Musiałem rozważyć inne warianty wydostania się na zewnątrz. Po tym, jak odkryłem, że za nieużywaną zamrażarką są drzwi na taras, zacząłem pchać rupiecia z całej siły i w końcu zdołałem się przecisnąć.

Na dworze było diabelnie zimno, a ja miałem na sobie tylko T-shirt i spodnie. Próbowałem otworzyć drzwi frontowe, ale bezskutecznie.

Żeby przechytrzyć tego dzieciaka, potrzebowałem elementu zaskoczenia. Obszedłem dom dookoła, usiłując otworzyć każde z okien na parterze, i jedno rzeczywiście nie było zatrzaśnięte. No więc wślizgnąłem się przez nie do środka.

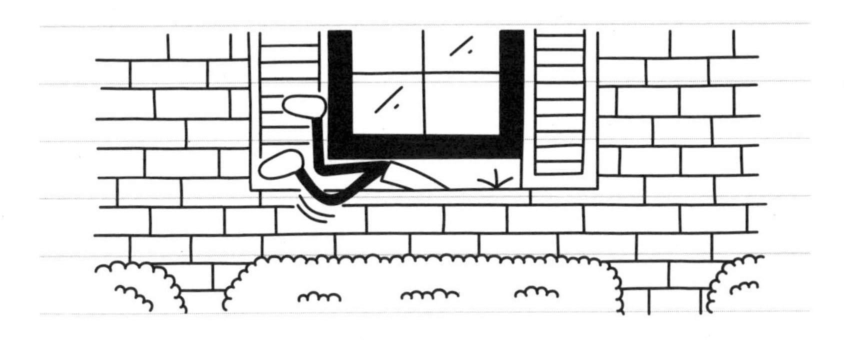

Wylądowałem głową do przodu w czyjejś sypialni, a kiedy trochę się rozejrzałem, zrozumiałem, że pokój należy do Laurel.

Jak wspominałem, na dworze był siarczysty mróz, więc musiałem się trochę ogrzać przed rozpoczęciem polowania na Wesleya. Ale gorzko żałuję tej chwili słabości, bo właśnie wtedy państwo Stringerowie wrócili do domu.

Przy odrobinie szczęścia z tego też będziemy się kiedyś śmiać podczas Święta Dziękczynienia. Ale sądzę, że minie trochę czasu, zanim pan Stringer odkryje zabawną stronę całej sytuacji.

Środa

Po tym, jak pogrzebałem swoje szanse u Laurel Stringer, prawie dałem za wygraną. Do balu zostały tylko trzy dni i każdy, kto wybiera się na tańce, ma już zaklepaną parę. No więc stwierdziłem, że spędzę tę sobotę w domu, grając w gry wideo.

Ale wczoraj po zebraniu komitetu Rowley sprzedał mi pewną informację, która WSZYSTKO zmieniła.

Powiedział, że Abigail Brown była smutna, bo chłopak, z którym wybierała się na bal, Michael Sampson, ma jakieś zobowiązania rodzinne i odwołał wspólne wyjście. Czyli Abigail została z sukienką, ale bez tancerza.

Spokojna głowa, rycerz na białym koniu już nadjeżdża! Powiedziałem Rowleyowi, że jako mój skrzydłowy ma niepowtarzalną okazję spiknąć mnie z Abigail.

Problem w tym, że Abigail w ogóle mnie nie zna, i wątpię, żeby poszła na tańce z chłopakiem, którego na oczy wcześniej nie widziała. No więc wymyśliłem coś takiego: Rowley jej powie, że możemy pójść na bal W TRÓJKĘ jako „przyjaciele".

Rowleyowi chyba spodobał się ten pomysł, bo przez cały czas zasuwał w komitecie i też nikogo sobie nie obczaił.

Przyszło mi jeszcze do głowy, że najpierw wyskoczymy do restauracji, a kiedy Abigail zobaczy, jakim świetnym jestem gościem, na balu będziemy już nierozłączni.

Jedyny kłopot w tym, że potrzebujemy BRYKI. Nie poproszę o podwózkę mamy, bo siedzenia w naszym minivanie są całe zawalone płatkami śniadaniowymi Cheerios i Bóg wie, czym jeszcze. A poza tym obecność przyzwoitki na randce mogłaby się zakończyć totalną katastrofą.

Chcąc zrobić naprawdę duże wrażenie na Abigail, powinienem wypożyczyć limuzynę, ale te rzeczy kosztują majątek. I nagle coś sobie uświadomiłem.

Pan Jefferson ma bardzo fajny wóz, więc pomyślałem, że ON mógłby nas podwieźć. Abigail wcale nie musiałaby wiedzieć, że to tata Rowleya. Gdybyśmy trzymali język za zębami, wzięłaby go za prawdziwego szofera. Może nawet skombinowalibyśmy mu odpowiednie nakrycie głowy, żeby podkręcić trochę atmosferę?

Oczywiście nie mógłbym nic zdradzić również PANU JEFFERSONOWI. Łączy nas raczej szorstka przyjaźń i nie sądzę, aby był skłonny wyświadczyć mi jakąkolwiek przysługę.

Dziś wszystko zaczyna się układać po mojej myśli. Rowley zagadał do Abigail i wiem, że spodobał jej się pomysł wspólnego wyjścia „przyjaciół". A co więcej, pan Jefferson zgodził się podrzucić nas na tańce.

Teraz tylko trzymam kciuki, żeby do sobotniego wieczoru nic nie popsuło mi szyków.

Piątek

Zdałem relację wujkowi Gary'emu i wydaje się, że on jest jeszcze bardziej podekscytowany niż ja. Chciał znać wszystkie szczegóły dotyczące balu walentynkowego: ile osób będzie i czy szkoła zaangażowała didżeja. Ale nie potrafiłem mu odpowiedzieć, bo ostatecznie to Rowley jest w komitecie i to jego broszka, nie moja.

Ja raczej kombinowałem, co na siebie WŁOŻYĆ. Wujek oświadczył, że jeśli chcę oczarować dziewczynę, muszę pójść na imprezę w garniaku. No więc wyjąłem z szafy Rodricka garnitur, który mój brat miał na sobie podczas jednego ze ślubów wujka Gary'ego.

Nie znalazłem żadnej wody kolońskiej w szufladzie Rodricka, ale za to BYŁ tam ten dezodorant, który wciąż reklamują w telewizji. Trochę się wystraszyłem, bo jeśli on naprawdę działa tak, jak pokazują spoty, nigdy nie zapomnę jutrzejszego wieczoru.

Wtedy sobie przypomniałem, że w garażu mamy pudło z rzeczami zmarłego parę lat temu wujka Bruce'a. I dobrze trafiłem - odkryłem tam wodę kolońską, którą polałem sobie na próbę nadgarstek.

Co prawda zacząłem pachnieć zupełnie jak wujek Bruce, ale to i tak pewnie bezpieczniejsze niż dezodorant Rodricka.

Potem poprosiłem tatę, żeby zawiózł mnie do spożywczaka, gdzie kupiłem bombonierkę walentynkową dla Abigail. Chyba nie powinienem był zdejmować celofanu, bo w efekcie nie potrafiłem się powstrzymać i zjadłem trochę czekoladek – z kremem, z masłem orzechowym i z karmelem.

Mam nadzieję, że Abigail lubi kokosowe i te, które smakują jak pasta do zębów, bo w sumie to tylko one zostały w pudełku.

Sobota

Dzisiaj odbył się wielki bal walentynkowy i już początek wieczoru był MEGAKIEPSKI.

Kiedy Rowley otworzył mi drzwi, zobaczyłem na jego twarzy czerwone krosty podobne do ugryzień komara. Od razu zrozumiałem, czym są te pryszcze: OSPĄ WIETRZNĄ.

Odkąd Evan Whitehead pokazał się w szkole z krostami, zaraza zbiera krwawe żniwo.

Ostatnio czterech chłopaków zostało odesłanych do domu przez szkolną pielęgniarkę. Jeden z nich był niewątpliwie Kubą Rozbieraczem, bo od wtorku nie odnotowano żadnych przypadków majtkowania.

Słyszałem, że ospa wietrzna jest NIESAMOWICIE zaraźliwa, a jak się jej dostaje, nie chodzi się do budy przez tydzień. Ale ja nie mogłem sobie pozwolić na to, żeby mój kumpel wypadł z obiegu choćby na JEDEN wieczór, bo wtedy ja też byłbym uziemiony.

Powiedziałem Rowleyowi, że ma ospę wietrzną. I wiecie co? Chyba powinienem był przygotować go psychicznie na tę rewelację.

Już chciał biec na dół i opowiedzieć o wszystkim rodzicom, ale kazałem mu wyluzować i dodałem, że zaraz coś wykombinujemy.

Oświadczyłem, że jeśli się nie wygada, będzie miał moją dozgonną wdzięczność. Jedyne, co musi zrobić, to ukryć krosty i trzymać język za zębami przy rodzicach. Pojedziemy sobie na tańce, będziemy się świetnie bawić i nikt się o niczym nie dowie.

Ale Rowley był zbyt wystraszony, aby zachować przytomność umysłu. Musiałem mu zaaplikować dwie czekoladki kokosowe, żeby trochę się uspokoił.

A gdy tylko do niego dotarło, że ma ospę, OCZYWIŚCIE zaczął się drapać. No więc wyjąłem parę skarpetek z szuflady i założyłem mu na dłonie.

Rodzice Rowleya na pewno widzieli już kiedyś osobę chorą na ospę wietrzną, toteż musieliśmy zachować maksymalną ostrożność. Zakradliśmy się do łazienki i przejrzeliśmy kosmetyki pani Jefferson w poszukiwaniu rzeczy, które mogłyby się przydać do kamuflażu. Mieliśmy farta, bo w końcu natrafiliśmy na coś, co nazywa się „korektor".

Używając pędzelka, zamaskowałem problematyczne fragmenty twarzy przyjaciela.

Ale teraz z kolei wyraźnie było widać makijaż. No więc wziąłem jedwabny szal z komódki pani Jefferson i powiedziałem Rowleyowi, że ma się nim owinąć. Na szalu się jednak nie skończyło, bo potem zauważyłem parę krost na CZOLE Rowleya. Musiałem je zakryć damskim kapeluszem plażowym.

Nie mogę powiedzieć, że Rowley wyglądał zupełnie normalnie, ale przynajmniej nikt by nie zgadł, że ma ospę wietrzną.

Idąc do samochodu, trochę się denerwowałem, jednak pan Jefferson chyba uznał, że przebranie jego syna to jakaś nowa moda gimnazjalna, bo darował sobie komentarze.

Kiedy otworzyłem tylne drzwi, ze zdziwieniem odkryłem stary fotelik dziecięcy zajmujący jedno z siedzeń.

Zapytałem Rowleya, po co im taki sprzęcior w aucie, na co on odparł, że kiedy wyrósł z fotelika, rodzice jakoś zapomnieli go wymontować. No cóż, faktem jest, że w samochodzie Jeffersonów Rowley zawsze wygląda na wyższego niż w rzeczywistości.

Wiedziałem, że musimy się pozbyć tego grata, zanim podjedziemy po Abigail. Wypożyczalnia limuzyn z pewnością nie pozwoliłaby sobie na dziecięcy fotelik na tylnym siedzeniu.

Ale chyba trzeba mieć papier inżyniera, żeby wypiąć to ustrojstwo. Musieliśmy dać mu spokój, bo i tak byliśmy już spóźnieni.

Kiedy zaparkowaliśmy przed domem Abigail, poprosiłem pana Jeffersona, żeby zatrąbił.

On jednak odmówił, twierdząc, że tak nie traktuje się „damy". Powiedział, że jeden z nas musi po nią pójść, a potem „służyć jej ramieniem".

Rowley już zaczął gramolić się na zewnątrz, ale ja zrozumiałem, że to moja wielka szansa. No więc ruszyłem w te pędy do drzwi frontowych, a potem zastukałem.

Zamiast Abigail pojawił się jednak jej OJCIEC. Najwyraźniej pan Brown jest policjantem albo przynajmniej ubiera się, jakby nim był.

Powiedział, że jego córka jeszcze się szykuje i że zaraz będzie gotowa.

Dodał, żebym lepiej wszedł do środka i usiadł. Mam wrażenie, że czekałem na Abigail jakąś GODZINĘ, i naprawdę nie podobał mi się widok kajdanków przy pasku pana Browna.

Już doszedłem do wniosku, że to całe zawracanie głowy z balem walentynkowym kosztuje mnie zbyt dużo nerwów, i zamierzałem wyjść, gdy wreszcie na schodach pojawiła się Abigail.

Od razu zauważyłem, że ma na sobie wyjątkowo bufiastą suknię i że nie zmieścimy się w trójkę na tylnym siedzeniu wozu pana Jeffersona. Ale nie było też opcji, żebym podróżował w foteliku dziecięcym Rowleya, tak więc zaofiarowałem się, że usiądę „obok szofera". Wiedziałem, że pan Jefferson ma podgrzewane przednie siedzenia, toteż nie działałem zupełnie bezinteresownie.

Pan Jefferson rozłożył jednak jakąś kupę papierów na miejscu pasażera, bo chyba zamierzał zrobić rozliczenie podatkowe, czekając na nasz powrót.

Za dużo byłoby zamieszania z przekładaniem tych wszystkich rzeczy, więc postanowiłem po prostu wskoczyć do bagażnika, żebyśmy nie tracili czasu.

Abigail wcale nie wydawała się zniesmaczona tym, że Rowley siedzi w dziecięcym foteliku. Najwyraźniej uważała to za świetny żart.

Ale humor to MOJA działka i nie zamierzałem pozwolić na to, żeby Rowley ukradł mi show.

W aucie zapadła cisza, więc poprosiłem pana Jeffersona o włączenie radia. Ale zamiast poszukać jakiejś muzyki, on nastawił nudną stację informacyjną i właśnie tego musieliśmy słuchać przez resztę drogi:

Z pewnością postąpił tak dlatego, że nazwałem go „szoferem".

Rowley i Abigail zaczęli o czymś rozmawiać, ale siedziałem tuż przy głośnikach i niewiele mogłem usłyszeć.

Kiedy auto się zatrzymało, myślałem, że dojechaliśmy do restauracji. Ale nie - przystanęliśmy przy warsztacie, żeby odebrać odkurzacz Jeffersonów.

Wtedy pożałowałem, że nie szarpnąłem się na limuzynę. Zawodowy szofer nie załatwiałby swoich spraw po drodze do restauracji!

Zrobiłem rezerwację w Spriggo's, wyczesanym lokalu, o którym ciągle mówią mama i tata. To mogło mnie uderzyć po kieszeni, ale zaoszczędziłem sporo kaski z obowiązków domowych. A poza tym naprawdę mi zależało, żeby Abigail uznała mnie za świetną partię.

Gdy dotarliśmy na miejsce, pan Jefferson otworzył bagażnik, żebym mógł wyjść. Ale wtedy się okazało, że mój garnitur jest cały w tłustych plamach z odkurzacza.

Nie chciałem wyglądać jak flejtuch, więc po prostu zostawiłem marynarkę w samochodzie. Miałem nadzieję, że Rowley wyczuje klimat i poczeka na nas z ojcem, ale nie, dziarsko pospieszył za mną i Abigail.

Knajpa okazała się DUŻO bardziej szykowna, niż przypuszczałem. Kiedy przestąpiliśmy próg, szef sali powiedział nam, że to miejsce dla „wyższych sfer" i że panowie muszą być w sportowych marynarkach.

Nie było takiej opcji, żebym włożył poplamiony łach, no więc zapytałem szefa sali, czy ten jeden raz nie zrobiłby wyjątku. Odparł, że nie, ale dodał, że restauracja wypożycza gościom marynarki. Ta, którą mi dał, okazała się ździebko duża, jednak nie chciałem się wykłócać.

Gdy tylko usiedliśmy, wyczułem jakiś paskudny zapaszek. Próbując wyniuchać, skąd pochodzi, zdałem sobie sprawę, że to JA tak cuchnę. Pewnie tę zapasową marynarkę miało na sobie ze stu facetów. I pewnie ani razu nie trafiła do prania.

Nie chciałem śmierdzieć cudzym potem, więc przeprosiłem i poszedłem do toalety, gdzie wymyłem marynarkę pod pachami wodą z mydłem, a potem wysuszyłem dmuchawą do rąk.

Cóż, tylko POGORSZYŁEM sytuację, bo ciepłe powietrze jeszcze zaostrzyło smród.

Miałem tego powyżej uszu. Powiedziałem Abigail i Rowleyowi, że ta knajpa jest dla snobów i żebyśmy spadali.

Gdy zostawiłem marynarkę szefowi sali, wyszliśmy na zewnątrz. Zasugerowałem, żeby darować sobie kolację i od razu pojechać na tańce, ale Abigail oświadczyła, że jest okropnie głodna. Rowley dodał, że on TEŻ umiera z głodu.

Jedynym lokalem w pobliżu była Kupa Śmiechu, którą postanowiłem natychmiast oprotestować. Ale Rowley stwierdził, że on przepada za barem deserowym w Kupie Śmiechu, a Abigail poparła jego wybór.

Zacząłem żałować wzięcia ze sobą Rowleya: gdyby cały czas trzymał z Abigail, ja nie miałbym nic do powiedzenia! Nie chciałem jednak wszczynać burdy w samym środku randki, więc nabrałem wody w usta i ruszyłem do Kupy Śmiechu oddalonej o trzy przecznice.

Na szczęście przypomniałem sobie o tej hecy z krawatem, zanim przekroczyliśmy próg, i w ostatniej sekundzie wepchnąłem go do kieszeni spodni.

Ale nie zdążyłem ostrzec Rowleya, no i teraz jego krawat zdobi ścianę niesławy.

W środku był prawdziwy cyrk na kółkach. Zazwyczaj przychodzę do Kupy Śmiechu w środku tygodnia i teraz wiem, że w sobotę wszystko wygląda tu inaczej.

Nie przywlekliśmy ze sobą żadnych małolatów, tak więc nie posadzono nas w Alejce Dziecięcej. Ale „dorosła" strefa okazała się niewiele lepsza. Oba sektory oddzielała tylko szklana ścianka, a my dostaliśmy miejsca obok rodziny ze stadem rozwydrzonych szczeniaków.

Zapytałem kelnerkę, czy możemy się przesiąść, na co ona zrobiła kwaśną minę i przeniosła nasze nakrycia. Szybko jednak pożałowałem swojej decyzji, bo to nie była zmiana na lepsze.

Tak czy inaczej, nie chciałem fatygować kelnerki po raz KOLEJNY, bo naprawdę nie warto wkurzać osoby, która podaje ci jedzenie. No więc zgarnąłem kilka jadłospisów i zasłoniłem nimi szybę na wysokości swojego wzroku.

Tymczasem kelnerka przyniosła nam nachosy, a Rowley zdjął z dłoni skarpetki. To nie był najlepszy pomysł, abyśmy wszyscy używali tego samego naczynia, co gość chory na ospę wietrzną, toteż trzymałem pojemnik blisko siebie.

Gdy mi się zdawało, że Rowley chce sięgnąć po nachosa, podsuwałem mu go ostrożnie słomką do napojów.

Nie pamiętałem, czy ospa wietrzna przenosi się przez powietrze, więc za każdym razem, kiedy Rowley otwierał usta, na wszelki wypadek wstrzymywałem oddech.

Pod koniec jego naprawdę długiej opowieści o czymś, co się wydarzyło ubiegłego lata, prawie zemdlałem.

Potem powiedziałem Rowleyowi i Abigail, że ja stawiam, i dodałem, że nie muszą się ograniczać. Chciałem zaszpanować swoim luźnym stosunkiem do pieniędzy.

I wyobraźcie sobie, że Abigail zamówiła DWIE przystawki, a Rowley tak samo.

Żeby kelnerka mogła go zrozumieć, Rowley musiał poluzować szal mamy. Wtedy jednak maleńka kropelka jego śliny przeleciała nad stołem i wylądowała na mojej dolnej wardze.

Opuściłem szczękę jak najniżej, aby kropelka nie dostała się do moich ust. Próbowałem zachować spokój, chociaż w rzeczywistości wpadłem w panikę.

Chciałem skorzystać z serwetki, ale spadła mi na podłogę, a ja nie mogłem się pochylić. No więc poczekałem na moment nieuwagi Abigail i niepostrzeżenie wytarłem twarz w jej rękaw.

W końcu złożyliśmy zamówienie - ja poprosiłem o gołego hamburgera, żeby choć trochę zaoszczędzić. Abigail zdecydowała się na stek z kością, najdroższą pozycję w menu. Podobnie Rowley, chociaż dawałem mu znaki, aby poprosił o coś tańszego.

Gdy na stół wjechało nasze jedzenie, stwierdziłem, że na moim burgerze jest pomidor i sałata. W Kupie Śmiechu ZAWSZE dostajecie nie to, co chcieliście. Zdjąłem z bułki warzywa, ale był tam także majonez.

Kiedy kelnerka przechodziła obok, powiedziałem jej, że zamawiałem hamburgera bez żadnych dodatków. A ona wzięła serwetkę i po prostu starła majonez, po czym zostawiła zatłuszczony papierek na środku blatu.

Wtedy kompletnie straciłem apetyt. Ale nawet GDYBYM był głodny, i tak pewnie nie zjadłbym hamburgera do końca. Bo kiedy opróżnisz do czysta talerz w tym lokalu, musisz oglądać ohydny obrazek.

No więc tylko siedziałem i czekałem, aż Abigail i Rowley zjedzą swoje steki, a potem zawołałem kelnerkę, bo chciałem uregulować rachunek.

Ale wtedy oni oświadczyli, że wezmą też coś słodkiego. Powodem, dla którego w ogóle tam przyszliśmy, był przecież deser za friko. Jednak Abigail i Rowley oczywiście chcieli SPECJALNOŚĆ LOKALU, a za to płaci się osobno.

Wstałem, odszukałem kelnerkę i oznajmiłem jej, że Rowley ma urodziny, bo wiedziałem, że wtedy dostanie deser za darmo. Kilka minut później wszyscy kelnerzy zebrali się wokół nas. Odśpiewali Rowleyowi „Sto lat" i dali mu urodzinowy kawałek ciasta.

Ale Abigail twardo zamówiła sernik z potrójną polewą czekoladową, który zresztą zaledwie nadgryzła.

Gdy zobaczyłem rachunek, oczy wyszły mi NA WIERZCH. Musiałem wyskoczyć z całej kasy z portfela, a nawet sięgnąć po żelazną rezerwę - pięć dolców schowanych w skarpetce.

Kelnerka nie chciała przyjąć banknotu, który miałem w skarpetce, ponieważ był trochę zapocony, no więc pobiegłem do samochodu, żeby zapytać pana Jeffersona, czy ma wymienić piątaka.

Kiedy wróciłem do stołu, Rowley i Abigail byli pochłonięci rozmową, a ja odniosłem wrażenie, że siedzą nieco bliżej siebie niż przedtem.

Zastanawiałem się, czy nie zasugerować Abigail, że dla własnego dobra powinna trzymać dystans, ale bałem się, że gdy odkryje prawdę o ospie, zostawi nas na lodzie.

Wreszcie wyszliśmy z baru, a pan Jefferson podjechał pod szkołę. Potem uściskał mocno Rowleya, które to zachowanie - dość nietypowe dla wynajętego szofera - z pewnością zdziwiło Abigail.

Na temat przewodni potańcówki wybrano „O północy w Paryżu" i muszę przyznać, że komitet odwalił niezłą robotę, bo sala gimnastyczna przypominała francuską ulicę. Był tam długi stół, poncz i przekąski, a nawet fontanna z czekoladą i truskawkami do maczania w czekoladowym fondue.

Pokazaliśmy nasze bilety i stanęliśmy w ogonku do pamiątkowej fotografii. Każdej parze robiono zdjęcie na tle Paryża.

Kiedy przyszła nasza kolej, zapozowałem z Abigail, a fotograf pstryknął nam fotkę. Ale gdybym wiedział, że Rowley TEŻ wepchnie się w kadr, darowałbym sobie tę wątpliwą przyjemność.

Moją uwagę zwrócił didżej, który wydał mi się podejrzanie znajomy. Kiedy podszedłem bliżej, stwierdziłem, że to wujek Gary. Nie pytajcie mnie, jak ON dostał tę fuchę.

Najwyraźniej uznał, że wśród uczniów znajdzie naiwniaków, którym zdoła wcisnąć swoje T-shirty. Na sali gimnastycznej było ciemno, więc dzieciaki nie miały pojęcia, że są robione w konia.

Nagle Abigail, która dotąd stała obok mnie, gdzieś się zawieruszyła. Wreszcie wypatrzyłem ją na drugim końcu sali - rozmawiała z koleżankami.

Ruszyłem w ich stronę, ale wtedy - wszystkie razem - poszły do toalety.

Nie wiem, o co chodzi z tym stadnym łażeniem do kibelka, ale trochę się zdenerwowałem.

Choć nie miałem pojęcia, co Abigail o mnie myśli, prawdopodobnie właśnie teraz zwierzała się przyjaciółkom. Łazienka chłopaków jest tuż obok, więc wszedłem tam i przyłożyłem ucho do ściany.

Słyszałem chichotanie, ale nic nie mogłem zrozumieć przez okropny hałas w męskiej toalecie.

Próbowałem uciszyć tych wszystkich ludzi, ale bez skutku.

Wreszcie głosy za ścianą umilkły, więc wróciłem na salę. Abigail i jej kumpele stały obok wazy z ponczem.

Za dziesięć ósma wujek Gary pogłośnił muzykę i wyglądało na to, że tańce zaczną się na dobre. Ale wtedy w progu stanęli jacyś ludzie w wieku mojej babci.

O ósmej już chyba setka staruszków tłoczyła się przy wejściu. Pomiędzy nauczycielami a niektórymi z nich doszło do dosyć gwałtownej wymiany zdań, więc podszedłem bliżej, żeby rozeznać się w sytuacji.

Staruszkowie stwierdzili, że zarezerwowali salę gimnastyczną na zebranie dotyczące nowego Domu Seniora. Na co pani Sheer odparła, że ona już dwa tygodnie temu zaklepała salę na bal walentynkowy.

Ale seniorzy oświadczyli, że oni zarezerwowali salę dwa MIESIĄCE temu i że mają na to papier. Dodali, że zaraz zaczynają obrady, i kazali nam się wynosić.

Wtedy dziewczyny z komitetu powiedziały, co o tym sądzą, no i zrobiło się gorąco.

Niewiele brakowało do awantury, kiedy pani Sheer zaproponowała kompromis. Oznajmiła, że możemy umieścić przesuwane przepierzenie pośrodku sali gimnastycznej i oddzielić zebranie seniorów od balu walentynkowego.

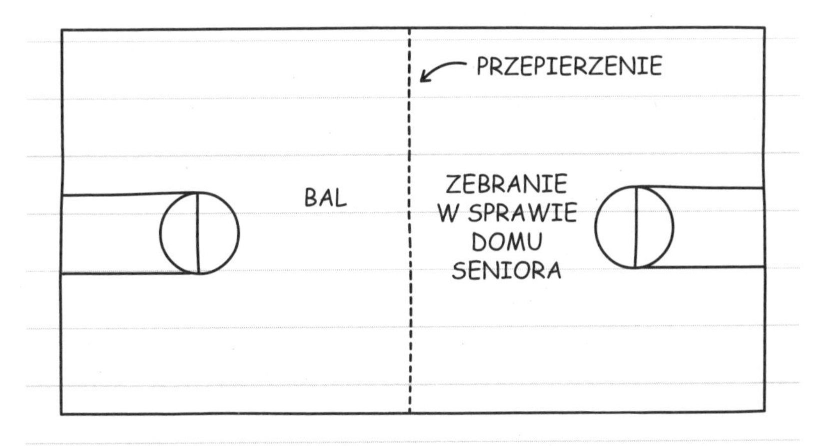

Wszyscy wydawali się w miarę usatysfakcjonowani takim rozwiązaniem, więc woźny rozdzielił przepierzeniem konkurencyjne imprezy.

Utrata połowy sali gimnastycznej już była strasznym ciosem, ale tym, co ostatecznie zabiło nastrój, okazała się ELEKTRYCZNOŚĆ. Światła na sali gimnastycznej włącza tylko jeden pstryczek, czyli wszystkie są albo zapalone, albo wygaszone. Seniorzy uparli się, że jest im potrzebne górne oświetlenie, i to był koniec klimatu „O północy w Paryżu".

Dobra widoczność nie sprzyjała też wujkowi Gary'emu, bo teraz dzieciaki, które kupiły koszulki, zrozumiały, że zostały wystawione, i zaczęły się domagać zwrotu pieniędzy.

Wujek Gary sprytnie odwrócił od siebie uwagę, podkręcając dźwięk, i rzeczywiście wielu ludzi rzuciło się na parkiet.

Dziewczyny tańczyły razem na środku sali. Co chwila jakiś chłopak usiłował do nich dołączyć, ale one stworzyły coś w rodzaju zapory, od której odbijali się wszyscy faceci. Nie całkiem rozumiałem, o co chodzi, dopóki sam nie spróbowałem przerwać ich kręgu. Natrafiłem wtedy na zdecydowany opór.

Nagle jedna staruszka przeszła na naszą stronę sali, aby się poskarżyć na zbyt głośną muzykę, i zażądała, żebyśmy coś z tym zrobili.

No więc wujek Gary ściszył dźwięk o jakieś 80% i odtąd mogliśmy usłyszeć każde słowo wypowiadane na zebraniu seniorów.

PROSZĘ ZAPROTOKOŁOWAĆ, ŻE PANI FISHBURN POPIERA WNIOSEK O EKSPRES DO KAWY W ANEKSIE KUCHENNYM.

To jednak ani trochę nie przeszkadzało dziewczynom. Część z nich wyciągnęła swoje empetrójki i dalej tańczyła w najlepsze.

Ale chłopaki miały dosyć. Całe to wzorowe zachowanie przy dziewczynach rzuciło im się na mózg i niektórym po prostu puściły hamulce.

Pani Sheer i reszta opiekunów próbowali przywołać ich do porządku, jednak bez powodzenia. Chłopakom tak odwaliło, że zaczęło się robić trochę niebezpiecznie.

Zamierzałem przeczekać całe zamieszanie za trybunami, ale wtedy nieoczekiwanie znów uderzył Kuba Rozbieracz. No więc musiałem zmienić plany.

Tymczasem wciąż wchodzili jacyś spóźnialscy – i wychodzili, jak tylko obczaili temat. A około dziewiątej na sali pojawił się Michael Sampson. Trzymał za rękę Cherie Bellanger.

Michael to ten chłopak, z którym Abigail MIAŁA iść na tańce, ale coś mi się wydaje, że jego „zobowiązania rodzinne" były zwykłą ściemą.

A sądząc po minie Michaela, gość nie spodziewał się, że spotka na balu swoją dziewczynę.

No i wtedy rozpętało się piekło. Michael dał nogę, zostawiając Cherie na pastwę losu, natomiast Abigail przepłakała następne pół godziny w kącie sali gimnastycznej.

Robiłem, co mogłem, aby poprawić jej humor, ale otaczał ją taki tłum, że nie wiem, czy mnie w ogóle zauważyła.

Akurat wtedy zebranie seniorów dobiegło końca i część staruszków przemknęła na naszą stronę sali, żeby przyssać się do napojów i słodyczy.

Seniorzy błyskawicznie uporali się z truskawkami i nie zostało nic, co można by maczać w fondue.

No więc dzieciaki zaczęły wsadzać palce pod strumień czekolady i zrobiło się zupełnie jak w Kupie Śmiechu.

W końcu jakiś chłopak zgubił szkło kontaktowe w fontannie i pani Sheer kazała wszystkim się cofnąć, żeby mogła je wyłowić, kiedy wypłynie na czekoladowej fali.

Nic już nie stało na przeszkodzie, aby wujek Gary znów podkręcił dźwięk.

Ale seniorzy zaczęli do niego przychodzić z różnymi muzycznymi życzeniami i ni stąd, ni zowąd nasz bal walentynkowy został opanowany przez starców.

Patrzyłem na to wszystko, podpierając ścianę i próbując zrozumieć, co ja tutaj robię. Żałowałem też, że nie popsikałem się jednak dezodorantem Rodricka, bo woda kolońska wujka Bruce'a najwyraźniej przyciągała kobiety spoza mojej grupy rówieśniczej.

Była już prawie dziesiąta i wujek Gary ogłosił, że puszcza ostatnią piosenkę. Kiedy rozległa się muzyka, kilka par damsko-męskich wyszło razem na parkiet. Po raz pierwszy tego wieczoru.

Potańcówka okazała się totalną porażką, więc myślałem już tylko o jednym: żeby w domu włączyć sobie grę wideo i wykasować z mózgu okropne wspomnienia.

A kiedy stwierdziłem, że gorzej być nie może, ujrzałem Ruby Bird idącą w moim kierunku.

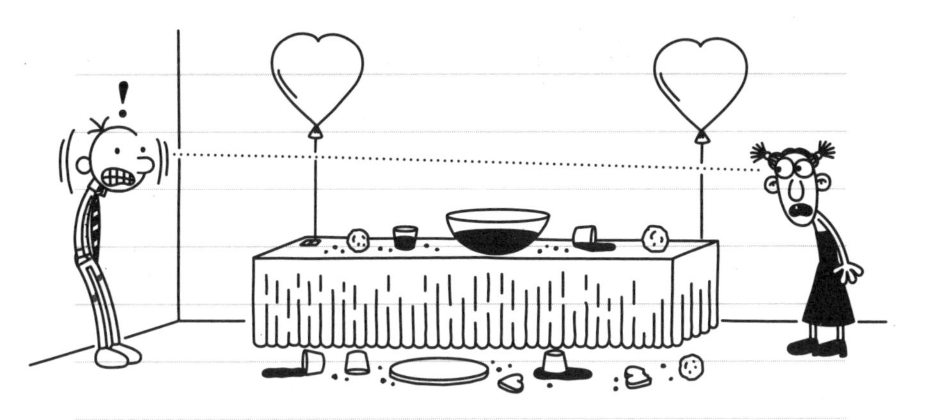

Nie wiem, czy zamierzała poprosić mnie do tańca, czy raczej zrobiłem coś, co ją rozjuszyło, ale tak czy siak, nie chciałem zostać pogryziony na gimnazjalnym balu walentynkowym.

Zacząłem się rozglądać w poszukiwaniu jakiegoś ratunku, jednak byłem w pułapce. Na szczęście Abigail właśnie wtedy wychodziła z łazienki, toteż chwyciłem jej dłoń, zanim Ruby zdążyła mnie dopaść.

Makijaż Abigail całkiem spłynął od łez, ale ja miałem to w nosie. Czułem bezbrzeżną ulgę, że wymknąłem się Ruby. Abigail też chyba była zadowolona, że mnie widzi, i dlatego, niewiele myśląc, poprowadziłem ją na parkiet.

Nigdy wcześniej nie tańczyłem wolnego z dziewczyną i nie wiedziałem, co zrobić z rękami. Ona położyła dłonie na moich ramionach, a ja swoje wsadziłem do kieszeni, ale to wyglądało idiotycznie, więc w końcu znaleźliśmy złoty środek.

I nagle coś zauważyłem na podbródku Abigail. To była mała czerwona krostka, ZUPEŁNIE taka sama jak te, które miał Rowley.

No a zanim opiszę, co nastąpiło później, pozwólcie mi powiedzieć na swoją obronę, że ja naprawdę byłem ciężko zestresowany tą ospą.

Chociaż fakt, przyznaję. MOŻE trochę przesadziłem.

Zresztą zaraz się okazało, że to NIE jest ospa wietrzna. To był zwykły pryszcz, który wylazł spod rozmazanego makijażu.

Cóż, TERAZ to wiem, ale na moim miejscu na pewno zareagowalibyście podobnie.

Abigail chyba jednak nie podzielała tej opinii, bo w drodze powrotnej nie była wobec mnie specjalnie wylewna.

Kiedy zatrzymaliśmy się przed domem Brownów, to Rowley odprowadził Abigail do drzwi. Nie miałem nic przeciwko temu: zyskałem trochę czasu, żeby pożreć ostatnie czekoladki. Po takim wieczorze mógłbym zjeść KONIA z kopytami.

Środa

Wiele się wydarzyło od balu walentynkowego.

Parę dni temu wujek Gary kupił mnóstwo zdrapek z kasy, którą dostał za T-shirty, no i wygrał czterdzieści tysięcy dolarów. Spłacił tacie swój dług, życzył mi szczęścia „u pięknych pań" i już go nie było.

Druga sensacyjna wiadomość jest taka, że dopadła mnie wyjątkowo złośliwa postać ospy wietrznej.

Nie mogę na sto procent stwierdzić, jak się nią zaraziłem, ale naprawdę mam nadzieję, że nie złapałem ospy od Rowleya. Wizja komórek jego wirusa atakujących mój system odpornościowy jest zbyt odrażająca.

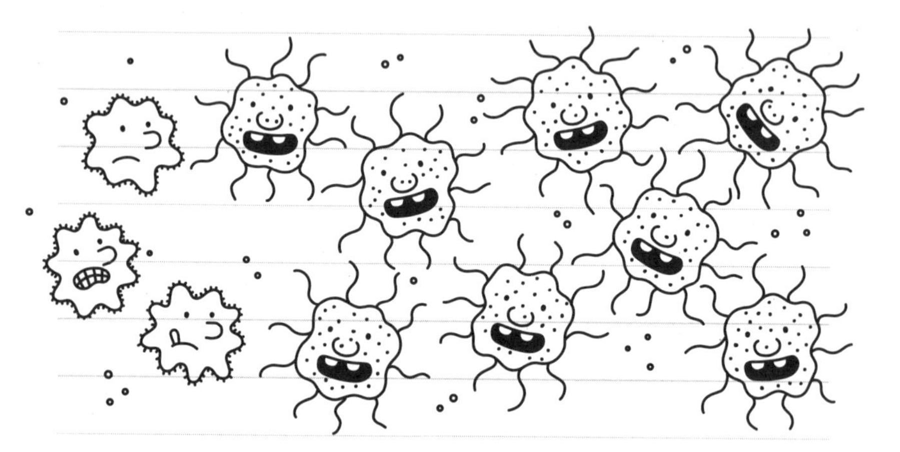

Mam jednak powody, by sądzić, że tego świństwa NIE sprzedał mi Rowley, bo mój kumpel nadal chodzi do szkoły, w dodatku chyba z korektorem pani Jefferson na brodzie. No więc myślę, że te czerwone krosty to po prostu zwykłe pryszcze. Takie jak Abigail.

A skoro już o Rowleyu i Abigail mowa, słyszałem, że zostali parą. Cóż, jeśli to prawda, powiem jedno: mój skrzydłowy podciął mi skrzydła.

Teraz muszę spędzić w domu co najmniej tydzień. Dobre wieści są takie, że gdy nikogo nie ma, mogę się rozkoszować bez przeszkód długimi kąpielami.

Swoją drogą, wanna nie wytrzymuje porównania z tym, co pamiętam sprzed urodzenia. Zresztą po zaledwie godzinie skóra jest cała pomarszczona. Ciekawe, jak ja mogłem to znosić przez prawie dziewięć miesięcy.

Powoli zaczyna doskwierać mi samotność. Zakładając, że NAPRAWDĘ jestem sam w domu. Dzisiaj położyłem czysty ręcznik obok wanny, zamknąłem na moment oczy, a potem już go nie było.

Albo ktoś tu sobie robi głupie żarty, albo to sprawka Johnny'ego Cheddara.

PODZIĘKOWANIA

Dziękuję moim najbliższym za zachętę i za wybuchy śmiechu. Wiele naszych rodzinnych historyjek zostało opisanych w *Dzienniku cwaniaczka*, a dzielenie z wami tej przygody było wielką frajdą.

Dziękuję wydawnictwu Abrams za wydanie moich opowieści i za dołożenie wszelkich starań, aby końcowy efekt był jak najlepszy. Jestem ogromnie wdzięczny Charliemu Kochmanowi, który traktuje każdą moją książkę z taką uwagą, jakby była pierwszą, oraz Michaelowi Jacobsowi – za to, że Greg Heffley za jego sprawą pokazał, na co go stać. A także Jasonowi Wellsowi, Veronice Wasserman, Scottowi Auerbachowi, Chadowi W. Beckermanowi i Susan Van Metre – za ich zaangażowanie i przyjaźń. Dobrze się razem bawimy, a ta zabawa jeszcze nie dobiega końca.

Podziękowania niech przyjmą również moi współpracownicy – Jess Brallier i cały zespół z portalu Poptropica – za wsparcie, koleżeństwo i za tworzenie – z ogromnym oddaniem – rewelacyjnych historii dla dzieciaków.

Dziękuję Sylvie Rabineau, mojej fantastycznej agentce, za wsparcie i wskazówki. Oraz Elizabeth Gabler, Carli Hacken, Nickowi D'Angelo, Ninie Jacobson, Bradowi Simpsonowi i Davidowi Bowersowi – za to, że pomogli mi przenieść rodzinę Heffleyów na duży ekran.
I wreszcie wielkie dzięki dla Shaelyn Germain – za jej nieocenioną pomoc i za to, że wszystkie niewidoczne tryby pracują tak gładko.

O AUTORZE

Jeff Kinney jest twórcą internetowych gier komputerowych oraz serii książek *Dziennik cwaniaczka*, numeru jeden na liście bestsellerów „New York Timesa". Czasopismo „Time" umieściło go wśród Stu Najbardziej Wpływowych Ludzi Świata. Jeff stworzył też www.poptropica.com, jeden z Pięćdziesięciu Najlepszych Portali Internetowych według „Time". Dzieciństwo spędził w Waszyngtonie, a w 1995 roku przeniósł się do Nowej Anglii. Obecnie z żoną i dwoma synami mieszka na południu Massachusetts, gdzie otworzył księgarnię An Unlikely Story.

Wydawnictwo NASZA KSIĘGARNIA Sp. z o.o.
05-075 Warszawa-Wesoła, ul. Apteczna 6
e-mail: naszaksiegarnia@nk.com.pl
tel. 22 643 93 89

Sprzedaż wysyłkowa: tel. 22 641 56 32
e-mail: sklep.wysylkowy@nk.com.pl

www.nk.com.pl

Książkę wydrukowano na papierze
Ecco Book Cream 70 g/m² wol. 2,0.

Redaktor prowadząca *Joanna Wajs*
Opieka redakcyjna *Magdalena Korobkiewicz*
Redakcja techniczna *Joanna Piotrowska*
Korekta *Joanna Kończak*
Skład i łamanie *Mariusz Brusiewicz*

ISBN 978-83-10-14072-2

PRINTED IN POLAND

Wydawnictwo „Nasza Księgarnia", Warszawa 2023 r.
Druk: POZKAL, Inowrocław